CARRIE FRIED
138-21 231 ST.
LAURELTON 13, N.Y.

Révision de Grammaire Française

Under the Editorship of

F. G. Hoffherr

Columbia University

Révision de Grammaire Française

par

AGNES HOUGHTON BOSS

et

GEORGE PAUL BORGLUM

WAYNE UNIVERSITY

Harper & Row, Publishers

NEW YORK, EVANSTON, AND LONDON

RÉVISION DE GRAMMAIRE FRANÇAISE

H-N

Table des Matières

Troisième Partie

IDIOTISMES ET FAUX AMIS

Quatrième Partie

CONJUGAISON DU VERBE

Préface

This review grammar is such a departure from the traditional review grammar that there is need for some explanation of its method and use.

The plan of the book is based on the simple notion that what the student needs most and understands least should be reviewed and made active first. Assuming that the student's memory of the less complicated aspects of French grammar such as gender, articles, adverbs, etc., is relatively adequate, the review starts with the syntax of the verb as basic to the coherence of the simplest sentence and therefore to a reasonable facsimile of a class conducted in French. Besides, to master first such bugaboos of French grammar as the use of the imperfect and past indefinite tenses, transitive and intransitive verbs, the agreement of past participles, gives the student confidence and a feeling of achievement which is important later as he copes with more elusive, idiomatic subtleties.

It has not been our intention to cram into this book a lot of linguistic minutiae. On the contrary, the book is intended to be a review of essentials, and we have limited the material to what we believe to be within the linguistic range of a good intermediate student. A feature of this book is that it takes very little for granted on the part of the student and occasionally provides a detail of explanation and example which is not to be found in a reference grammar. To stop short of a complete statement covering what the student will meet with on any page of Maupassant, Dumas or Mérimée, or hear in everyday conversation, is to betray him and confuse him needlessly.

The book aims, therefore, to treat subjects fully where fullness is necessary to good understanding. Rules, however, are a means to an end, not an end in themselves. It is more important to know how to say a thing than why it should be said in such and such a way. In short, it is the examples that count and we have given them in abundance for they are the keys to the structural pattern of the language, a command of which must become automatic for one who would use the language to communicate his thoughts.

Textbooks using French in whole or in part for grammatical explanations were becoming increasingly common before the war and indicated a trend toward greater use of French in class. With their insistence on the oral use of the language, the methods adopted for the Army program were in line with this trend and today enjoy great favor. To the skeptic who still hesitates to teach grammar in French to intermediate students, or even to beginners, or who is content to leave oral French to an informant, we would say that the chief obstacle to the comprehension of French grammar is not French but grammar. Grammatical concepts and nuances in meaning are what cause the difficulty, not the introduction of French grammatical terms. The instructor who is willing to make *the same effort in French as he does in English* to explain a point of grammar will find the results extremely gratifying. There comes a point when, after a period of confusion and fumbling during which it may feel very much abused, a class suddenly and as if by miracle finds itself thinking in French.

Learning grammar in French is of course not something one does on a moment's notice. Classes used to this procedure present no problem. But students who have heard little or no French need to be eased into it. Two methods of doing this are possible: (1) No English. The instructor speaks very slowly, particularly at first, and repeats sentences, phrases, words, until comprehension is achieved. The speed is gradually increased. (2) French-English, or French-English-French, that is, making the statement in French, then in English and once again in French, speaking at normal or nearly normal speed. This process takes about the same time as the first, but has the advantage of being less trying for both instructor and student. The student also learns to comprehend at normal speed by hearing at normal speed. The English can be dispensed with gradually without the class's being aware of the transition. This process of transition should be deliberate and the class brought to an all-French lesson as soon as possible.

The exercises provided are conventional in that they "cover" the subject of each chapter without being exhaustive. However, studying materials and writing the exercises are only the beginning. The instructor must continue to drill on old material, keeping points on the agenda until fluency and correctness are automatic. The secret of developing good active control is to devote a few minutes daily to rapid review drills. There is a good deal of truth in the saying that the best teacher is the one who makes his students say a thing correctly the greatest number of times.

At precisely what level beyond the first year this book should be used will depend on several factors and must be left to the judgment of the individual instructor. The chapters are comparable in length, though not, of course, in difficulty. Some chapters are too difficult to be assimilated in one assignment while others, toward the end of Part II, can possibly be combined. All chapters which are not part of a natural group are independent and can be assigned in any order, or omitted. Likewise, sections within chapters can be omitted, with corresponding omissions in the exercises. No vocabulary is provided for the exercises since they are based on words of high frequency with occasional use of the vocabulary provided in the translated examples. In a few rare instances the student is put on his own. Many chapters have more exercise material than can be handled in class in one recitation, so that the instructor will need to make a selection in their assignment and use.

It will be noted that Parts III (*Idiotismes et Faux Amis*) and IV (*Conjugaison du Verbe*) and the *Vocabulaire des Explications Grammaticales* are reference sections unaccompanied by exercises. The latter is merely a list of terms and vocabulary used in explanation or definition. Parts III and IV, on the other hand, call for drills of some sort if the instructor wishes to include this material for study. In this we have deferred to the ingenuity of the instructor, who will have his own favorite devices. It is suggested only that a few irregular verbs be studied along with each chapter of grammar and that when these have been completed the same procedure be followed with the word and idiom study, the student being asked, perhaps, to compose a few sentences combining words and idioms in such a way as to illustrate their proper use, together with a bit of the day's grammar lesson.

It will be noted that the examples and exercises have been made the vehicle for teaching in painless fashion, we hope, a small amount of new vocabulary, sometimes colloquial in nature. It should also be mentioned that a peculiar type of whimsy has crept in—in protest no doubt against the brothers and sisters, sons and daughters, tables and chairs, books and pencils, flowers, friends, fish, and fruit without which, strangely enough, writing grammars and living would both be more difficult.

We wish to thank our colleague, Professor H. Linn Edsall, for his generous help on many a chapter, particularly those on the subjunctive, whose new look is at his suggestion.

Detroit, Michigan G. P. B.
March, 1949 A. H. B.

Première Partie

LE VERBE

CHAPITRE I

Présent de l'Indicatif, Impératif

LE PRÉSENT

1. Il y a plusieurs traductions possibles en anglais:

Je parle	I speak I do speak I am speaking	**Est-ce que je parle?**	Do I speak? Am I speaking?

2. Le présent s'emploie avec:

depuis quand?	how long	pour indiquer une action commencée dans le passé, mais qui continue dans le présent.
depuis (que)	for, since	
il y a . . . que	" "	
voilà . . . que	" "	
voici . . . que	" "	

Je marche depuis deux heures.	I have been walking for two hours. (= I began two hours ago and am still walking as I say this.)
Voici (voilà) deux ans qu'il demeure ici.	He has been living here for two years (and is still living here).
Il y a une heure que je vous attends.	I've been waiting for you an hour.
Voilà six mois qu'on ne se parle pas.	We haven't been speaking for six months.
Elle ne mange rien depuis qu'elle suit un régime.	She hasn't been eating a thing since she's been on a diet.

MAIS: quand il s'agit d'une action qui ne continue pas:

Je n'ai pas mangé depuis deux jours.	I haven't eaten for two days.

NOTE: Les locutions **il y a, voici, voilà** portent l'attention sur la durée de l'action.

3. Le présent s'emploie après **si** pour exprimer une condition. (Voyez le chapitre VI pour la phrase construite avec **si.**)

Si vous y allez je vais (ou **j'irai) avec vous.**	If you go there, I shall go with you.

4. Le présent s'emploie souvent au lieu du futur.

Je pars dans une semaine.	I'm leaving in a week.
J'y vais l'année prochaine.	I'm going there next year.

L'IMPÉRATIF

1. L'impératif a trois formes seulement: la deuxième personne du singulier, la première et la deuxième personne du pluriel. (Pour la formation de l'impératif, voyez la formation des temps des verbes réguliers, IVe Partie.)

regarde	look
regardons	let us look
regardez	look

2. L'impératif des verbes réfléchis, avec le pronom réfléchi complément, se forme ainsi:

affirmatif	**amuse-toi** **amusons-nous** **amusez-vous**	have a good time, etc.
négatif	**ne t'amuse pas** **ne nous amusons pas** **ne vous amusez pas**	don't have a good time, etc.

3. Pour exprimer l'équivalent d'un impératif aux autres personnes, on emploie le subjonctif présent; l'expression de la volonté est sous-entendue (*understood*).

Que je le regarde.	Let me look at it.
Qu'il le regarde.	Let him look at it.
Qu'ils le regardent.	Let them look at it.

L'impératif complet d'un verbe se donne alors ainsi:

que je regarde	**que je m'amuse**
regarde	**amuse-toi**
qu'il regarde	**qu'il s'amuse**
regardons	**amusons-nous**
regardez	**amusez-vous**
qu'ils regardent	**qu'ils s'amusent**

Exercices

1. *Changez chaque phrase en imitant l'exemple donné:*

Ex. Je suis ici depuis une heure.
Voilà une heure que je suis ici.
Voici une heure que je suis ici.
Il y a une heure que je suis ici.

1. Il travaille depuis quelque temps.
2. Voici deux ans que je le cherche.
3. Il y a une semaine qu'elle étudie.
4. Voici deux jours que le blessé souffre.
5. Vous faites ce travail-là depuis longtemps.

2. *Traduisez en anglais chacune des phrases de l'exercice 1.*

3. *Traduisez:*

1. If I find it I will tell you.
2. We have been here a long time.
3. He has been looking at it for an hour.
4. How long did they talk?
5. For a week we have been working day and night.
6. She has adored him for years.

7. He is thinking of his family.
8. I shall do it if it is possible.
9. Do they write every day?
10. We have been traveling a long time.
11. How long have you been living here?
12. Have you been ill?
13. Have you been ill long (*longtemps*)?

4. *Donnez toutes les formes de l'impératif de chaque verbe et traduisez en anglais:*

parler	aller	se demander
finir	faire	se promener
répondre	dire	se coucher

5. *Donnez toutes les formes de l'impératif négatif des verbes de l'exercice 4.*

6. *Pour chacun des verbes de l'exercice 4, composez une phrase en vous servant d'un impératif.*

CHAPITRE II

Temps Passés

L'IMPARFAIT

1. L'imparfait français a plusieurs traductions possibles en anglais:

Je parlais	I spoke I was speaking I used to speak I would speak	**Est-ce que je parlais?**	Was I speaking? Did I speak?

Il est alors évident que l'imparfait représente une action en train de s'effectuer dans le passé, et qui est souvent habituelle ou répétée. L'essentiel est que l'imparfait exprime ce qui existait, était, avait lieu (*was taking place*) à un moment donné ou à une époque donnée du passé, sans rapport (*reference*) au commencement ou à la conclusion de l'action. L'action est donc **indéterminée,** car il n'est pas indiqué si l'action continue indéfiniment ou a cessé. Pour cette raison l'imparfait est un temps **descriptif.** Souvent il prépare la scène pour une action déterminée, c'est-à-dire, pour une action qui a lieu et se termine dans le passé, indiquée par un temps narratif (passé composé ou passé défini).

Il était malade.	He was ill.
La maison était solide.	The house was well built.
Je marchais lentement.	I was walking slowly.
Nous demeurions à Paris.	We used to live in Paris.
Ils achetaient au rabais.	They would buy at reduced prices.

Il faisait sombre et nous avions peur.	It was dark and we were afraid.
Je pensais à vous.	I was thinking of you.
Elle voulait parler.	She wanted to speak. (But did she?)

2. L'imparfait s'emploie après **si** pour exprimer une condition. (Voyez le chapitre VI pour la phrase construite avec **si.**)

S'il voulait le faire, il le ferait.	If he wished to do it, he would do it.

3. L'imparfait s'emploie avec:

depuis (que) **depuis quand?** **voici . . . que** **voilà . . . que** **il y avait . . . que**	pour exprimer une action commencée dans un passé lointain et qui continuait *encore à un moment déterminé du passé.*

Je marchais depuis trois heures.	I had been walking for three hours (and was still walking then).
Voilà deux ans qu'il demeurait ici.	He had been living here for two years (and was still living here then).
Depuis quand était-il à Paris?	For how long had he been in Paris?

NOTE: Les locutions **voici, voilà,** et **il y avait** soulignent la durée de l'action.

PASSE DÉFINI ET PASSÉ COMPOSÉ

1. Le passé défini et le passé composé servent tous les deux à représenter le même genre d'action dans le passé, une action terminée au moment où l'on parle, donc une action **déterminée.** Ces deux temps ne représentent pas, comme le fait l'imparfait, une action en train d'avoir lieu (*in the act of taking place*) ou un état qui existe dans le passé, mais une action qui s'est déjà effectuée (*was carried out*) et maintenant a cessé. Ce sont des temps **narratifs,** car ils représentent l'action comme accomplie ou, déterminée. Le point de vue narratif est celui d'une personne qui traite une action du passé comme une action complètement passée. Le point de vue descriptif est celui d'une personne qui voit une action en train de se dérouler (*take place*, *unfold*) dans le passé.

Il a quitté la maison et a marché rapidement jusqu'à l'autobus.	He left the house and walked rapidly to the bus stop.
J'attendais sur le trottoir quand un passant s'est approché de moi.	I was waiting on the sidewalk when a passer-by approached me.

2. Une action narrative représente une action d'une durée définie ou indéfinie, une seule action ou une action répétée un certain nombre de fois. L'important est que l'action est déjà terminée au moment où l'on parle.

Nous avons marché trois heures.	We walked for three hours.
Il a réfléchi longtemps.	He thought a long time.
Il a bien préparé son examen et il y a été reçu.	He prepared well for his exam and he passed it.
Il est arrivé à six heures.	He arrived at six o'clock.
La pièce a fini à minuit.	The play ended at midnight.
Nous avons eu peur.	We became frightened.
J'ai sonné cinq fois.	I rang five times.
J'ai retrouvé mon chien les trois fois qu'il a été perdu.	I found my dog the three times he was lost.
Elle a voulu parler. (Une action commencée ou effectuée [*carried out*].)	She started to speak, tried to speak, insisted on speaking.

NOTE: Le passif étant formé avec le verbe **être**, le passé composé et le passé défini du verbe **être** sont employés en formant le passé composé ou défini d'un verbe au passif.

Il a été arrêté.	He was arrested.
Elle fut interrogée pendant une heure.	She was questioned for an hour.
MAIS:	
Il est arrêté.	He is under arrest.

3. Le passé défini s'emploie dans une narration littéraire, un essai ou un traité historique.

Le roi vécut longtemps.	The king lived a long time.

Le passé composé s'emploie en parlant et en écrivant, dans la langue de tous les jours, pour exprimer une action terminée dans le passé.

J'ai fait ce que vous m'avez demandé de faire.	I did what you asked me to do.
Elle est allée au cinéma.	She has gone (went) to the movies.

PLUS-QUE-PARFAIT

Le plus-que-parfait s'emploie pour exprimer une action antérieure à une autre action au passé, c'est-à-dire, une action qui était déjà arrivée par rapport à un moment donné du passé.

On voulait me le faire faire, mais j'avais filé.	They wanted to have me do it, but I had skipped.
J'avais menti, mais on ne me soupçonnait pas.	I had lied, but I was not suspected.

PASSÉ ANTÉRIEUR

Le passé antérieur s'emploie dans le style littéraire au lieu du plus-que-parfait après certaines conjonctions de temps, quand le verbe principal de la phrase est au passé défini.

Il partit aussitôt qu'il eut fini.	He left as soon as he had finished.
Dès qu'il eut compris, il répondit.	As soon as he had understood, he replied.

Exercices

1. *Expliquez l'emploi de chaque verbe en italiques.*

Jean *a décidé* de partir ce jour-là. Alors il *a descendu* sa valise et *s'est mis* à la remplir. Mais il y *avait* trop de choses à prendre! Il *s'est assis* sur le bord du lit où il les *a rangées*, toutes, en deux groupes. Tout à coup le téléphone *a sonné* et il *a fallu* répondre. C'*était* un ancien camarade de régiment qui *voulait* prendre de ses nouvelles. A la fin de leur conversation ils *ont décidé* de se revoir la semaine prochaine.

Jean *a* vite *fini* sa valise, et, à midi précis, il *a quitté* la maison. Comme le ciel *était* bleu, comme les oiseaux *chantaient* dans les arbres! Il *a trouvé* un taxi, et bientôt après, il *est arrivé* à la gare.

2. *Dans l'exercice* 1 *répétez seulement les phrases de narration.*

3. *Dans l'exercice* 1 *répétez seulement les phrases de description.*

4. *Ecrivez un paragraphe original où les verbes (à l'imparfait et au passé composé) servent de narration ou de description. Choisissez votre sujet dans votre livre de classe.*

5. *Mettez l'infinitif à l'imparfait ou au passé composé et expliquez votre choix de temps:*

1. Le train (partir) à midi.
2. Le ciel (être) bleu, le vent (souffler), et j'(être) heureux.
3. A ce moment-là, elle me (regarder).

4. Je (réfléchir) pendant que je (regarder) autour de moi.
5. Au bout de trois jours nous (commencer) à nous ennuyer.
6. On me (prier) de rester toute la semaine.
7. Elle (aller) se mettre en route avant mon arrivée.
8. La famille (habiter) Paris seulement pendant quatre ans.
9. J'y (penser) beaucoup, parce que je (vouloir) réussir.
10. L'étranger (frapper) à la porte trois fois.
11. Voilà trois jours que je le (chercher).
12. J'y resterais si je le (vouloir).
13. Le soldat (penser) souvent à sa famille.
14. Vers midi le soleil (commencer) à briller.
15. Le général (être) content du progrès de la bataille.
16. Il (être) saisi les mains dans le sac.

6. *Traduisez:*

1. If he saw my brother he would speak to him.
2. We had been looking for you for two hours.
3. The soldier arrived home at two o'clock.
4. His family was happy to see him.
5. He was brought by the children.
6. At that time he lived in Boston.
7. We left the city at the end of that time.
8. His eyes were blue, his hair was black.
9. I spoke too quickly yesterday.
10. We had never questioned them.
11. Who has finished now?
12. I would go there if I were you.
13. She wouldn't say what she wanted.
14. He had been under arrest for two days.
15. If we had only known!

CHAPITRE III

Participes

PARTICIPE PRÉSENT

Le participe présent s'emploie comme **gérondif** (substantif verbal), comme **participe présent** et comme **adjectif verbal.**

1. Comme **gérondif** le participe présent est précédé de la préposition **en** et est invariable.

En sortant de la maison elle leur a dit au revoir.	On leaving the house she said good-by to them.
Nous avons réussi en travaillant sans cesse.	We succeeded by working ceaselessly.

2. Le simple **participe présent** s'emploie sans préposition et est invariable. Il remplace une proposition relative.

Il nous a vus traversant (qui traversions) la rue.	He saw us crossing the street.

MAIS:

Il nous a vus traverser la rue.	He saw us cross the street.

3. Certains participes présents peuvent servir de **simple adjectif,** qualifiant un substantif avec lequel ils s'accordent en genre et en nombre.

Des poissons volants.	Flying fish.
Elle était d'une humeur changeante.	She was of a changeable disposition.

C'étaient des événements choquants.	Those were shocking events.

PARTICIPE PASSÉ

Le participe passé d'un verbe s'accorde en genre et en nombre dans trois circonstances différentes:

1. Avec le mot qualifié quand le participe est employé comme un **adjectif.** Ceci comprend les constructions passives formées avec le verbe être.

Arrivées de bonne heure, elles ont dû attendre.	Having arrived early, they had to wait.
Des vêtements faits sur mesure.	Tailor-made clothes.
Elle a été saisie avec son complice.	She was caught with her accomplice.

2. Avec un complément direct qui **précède** le verbe. Si le verbe n'a pas de complément direct ou si le complément direct suit le verbe, le participe passé est invariable (sauf pour un intransitif conjugué avec **être:** voyez 3 ci-dessous).

Complément direct qui précède le verbe.	**Je les ai vu(e)s chez moi.**	I saw them at home.
	Les livres que nous avons trouvés.	The books we found.
	Voilà la femme qu'on a sifflée!	There's the woman they hissed!
	Elle s'est mise à manger.	She began eating.
Complément direct qui suit le verbe.	**Nous avons vu la pièce.**	We saw the play.
	On a cherché la femme.	They sought the woman.
	Elle s'est lavé la figure.	She washed her face.

Verbe intransitif, auxiliaire avoir.	**Il a couru à l'incendie.**	He ran to the fire.
	Il y a réfléchi.	He has thought it over.
	Nous avons nagé longtemps.	We swam a long time.

NOTE 1: Un verbe réfléchi, pouvant avoir un complément direct est compris dans cette règle. Voyez le chapitre suivant.

NOTE 2: Un verbe intransitif exigeant l'auxiliaire **avoir** aux temps composés est évidemment compris dans cette règle.

3. Avec le sujet quand le verbe est intransitif et exige l'auxiliaire **être** aux temps composés.

je suis venu, ou venue	**nous sommes venus, ou venues**
tu es venu, ou venue	**vous êtes venu(e) ou venu(e)s**
il est venu, elle est venue	**ils sont venus, elles sont venues**

Verbes intransitifs qui se conjugent avec **être** *aux temps composés:* Notez que tous ces verbes imposent une condition, un certain état d'être particulier, une fois l'action effectuée. Notez aussi que des verbes de motion comme **courir, marcher, sauter** n'imposent pas de condition, une fois l'action effectuée, et ne se conjuguent pas avec **être.**

			La Condition
1.	**aller**	go	gone
2.	**accourir**	run up	present
3.	**arriver**	arrive	there, here
4.	**descendre**	go down	down
5.	**entrer**	enter, come in	in
6.	**monter**	go up	up
7.	**mourir**	die	dead
8.	**naître**	be born	alive, born
9.	**partir**	leave, go away	gone, absent
10.	**rentrer**	go (come) back	here, there
11.	**rester**	stay	present
12.	**retourner**	go back	absent, back
13.	**sortir**	go out	out
14.	**tomber**	fall	down, fallen
15.	**venir**	come	present

Est-elle descendue encore?	Is she down yet?
Il est rentré depuis samedi.	He's been back since Saturday.

NOTE: Si **descendre, entrer, monter, retourner, rentrer** et **sortir** sont employés transitivement, ils demandent l'auxiliaire **avoir,** et le participe s'accorde avec le régime direct s'il précède le verbe. Notez que le sens des verbes change.

Il a monté la table.	He brought up the table.
J'ai sorti mon vélo.	I took out my bicycle.
Les photos que j'ai sorties.	The snapshots I brought out.
Elle a descendu l'escalier.	She came down the stairs.
Il a descendu l'échelle.	He came down the ladder. He took down the ladder.

Exercices

1. *Expliquez la syntaxe de chaque participe passé:*
   1. Les enfants que nous avons vus sont beaux.
   2. Elle a beaucoup travaillé.
   3. Nous sommes partis dans un état.
   4. Il a voulu que la chose soit faite ainsi.
   5. Les fautes que vous avez faites sont sans importance.
   6. Ce jour-là elles s'étaient promenées dans la neige.
   7. Les fruits qu'on a servis étaient pourris.
   8. Ils se sont fait des promesses extravagantes.
   9. Y avez-vous trouvé des vers?
   10. Nous nous sommes couchés de très bonne heure.
   11. Quelle leçon avez-vous préparée?
   12. Elle est bien descendue.

2. *Traduisez:*
   1. While writing her letter she thought of her son.
   2. By doing this you helped them.
   3. We have walked in the garden.
   4. The things they have done are without excuse.
   5. They had worked for many hours.
   6. They said good night to one another.
   7. The poor girl has gone to bed.
   8. My clothes have not come.

9. The magazines we have read are here.
10. That mistake was made many times.
11. The two friends looked at each other with curiosity.
12. Here are the papers he brought up (*monter*).
13. Make some slip knots (*nœud*, m., *couler*).

3. *Conjuguez au passé composé:*

1. venir
2. aller
3. tomber
4. entrer
5. marcher
6. partir
7. retourner

4. *Conjuguez au plus-que-parfait, négativement:*

1. arriver
2. rester
3. sortir
4. courir
5. mourir
6. descendre
7. naître

5. *Traduisez sans employer le passé défini:*

1. They had left when we arrived.
2. And then you went out.
3. The girls stayed much longer.
4. Why hasn't she come to see me?
5. Our soldiers have died for an ideal.
6. How had she fallen?
7. Had they entered the room when you arrived?
8. We have never stopped (*descendre*) at that hotel.
9. Their little girl was born in Paris.
10. She has gone home (*rentrer*).
11. We had gone back to Lyons.
12. She began eating her fish.

CHAPITRE IV

Verbes Réfléchis

1. Les verbes réfléchis demandent deux pronoms à chaque personne sauf à l'impératif: le pronom sujet et le pronom réfléchi complément. Ces deux pronoms désignent la même personne ou objet. Les pronoms réfléchis compléments sont directs ou indirects. Ils sont:

me ou **m'** **te** ou **t'** **se** ou **s'** **nous** **vous** **se** ou **s'**

je me regarde	I look at myself
tu te regardes	etc.
il (elle) se regarde	
nous nous regardons	We look at ourselves (each other)
vous vous regardez	etc.
ils (elles) se regardent	

Les temps primitifs du verbe réfléchi sont:

se coucher **se couchant** **couché** **je me couche** **je me couchai**

Se sauver serait lâche.	To run away would be cowardly.
Pouvons-nous nous asseoir?	Can we sit down?
Vous devriez vous reposer.	You ought to rest.
Il faut s'en aller.	We have to go away.
Me ravisant, je me suis couché.	Changing my mind, I went to bed.
Après s'être démentie, elle se tut.	After having contradicted herself, she stopped talking.
Le rideau se lève.	The curtain rises.

2. La place des pronoms réfléchis. Les pronoms réfléchis compléments se placent immédiatement devant le verbe, excepté à l'impératif affirmatif. Au cas où il y a deux pronoms compléments, le pronom réfléchi se place le premier des deux.

Ils se couchent.	**Ils ne se couchent pas.**
Se couchent-ils?	**Ne se couchent-ils pas?**
Elle ne s'est pas levée.	She didn't get up.
Se sont-ils mariés?	Did they get married?
Elle s'en est souvenue.	She remembered it.
Ils se le sont rappelé.	They remembered it.
Je me le demandais.	I was wondering (about that).
Elle s'y est assise volontiers.	She was glad to sit down (there).

A l'impératif affirmatif on les place après le verbe. Notez que **me** et **te** deviennent **moi, toi** à l'impératif affirmatif. (Pour l'ordre des pronoms compléments directs, indirects et réfléchis, voyez le chapitre XVII.)

couche-toi	(lie down)	MAIS:	**ne te couche pas**
couchons-nous	(let us lie down)		**ne nous couchons pas**
couchez-vous	(lie down)		**ne vous couchez pas**

3. L'auxiliaire **être** et l'accord du participe passé.

a. Les temps composés demandent l'auxiliaire **être** avec le sens d'**avoir.** Le participe passé d'un verbe réfléchi s'accorde comme le participe passé d'un verbe conjugué avec avoir, c'est-à-dire, le participe passé s'accorde en genre et en nombre avec un complément direct si ce complément précède le verbe. Le pronom réfléchi précède le verbe (sauf à l'impératif affirmatif) et peut être le complément direct.

je me suis couché(e)	I went to bed, etc.
tu t'es couché(e)	
il (elle) s'est couché(e)	
nous nous sommes couché(e)s	
vous vous êtes couché(e)(s)	

ils (elles) se sont couché(e)s	
Elle s'en est souvenue.	She remembered (reminded herself of) it.
Après m'être couché(e) . . .	After having gone (going) to bed . . .
Après s'être querellés ils se sont raccommodés.	After having quarreled they made up.

b. Le pronom réfléchi peut être également un complément indirect, avec ou sans un complément direct. Le participe ne s'accorde pas avec le pronom réfléchi, mais avec le complément direct s'il y en a un qui précède le verbe.

S'est-elle demandé pourquoi?	Did she wonder why?
Voilà les questions qu'elle s'était posées.	Here are the questions she had asked herself.
Elles se les sont rappelé(e)s.	They remembered them (recalled them to themselves).
Elles se sont rappelé.	They remembered.

c. Au pluriel, le verbe réfléchi peut exprimer une action réciproque. Le pronom réfléchi peut être complément direct ou complément indirect.

Complément direct.	**Ils se sont frappés.**	They struck one another.
	Ne se sont-ils pas aidés?	Didn't they help each other?
	Elles ne se sont même pas regardées.	They didn't even look at one another.
Complément indirect.	**Elles se sont parlé longtemps.**	They talked to one another a long time.
	Ils se sont dit des injures.	They called each other names.
	Se sont-elles donné la main gentiment?	Did they shake hands nicely?
	Les coups qu'elles se sont donnés . . .	The blows they gave one another . . .

Exercices

1. *Apprenez les temps primitifs de tous les verbes réfléchis de la liste donnée dans le chapitre* v. (Pour les temps primitifs irréguliers voyez les verbes irréguliers.)

2. *Sous les temps primitifs des verbes suivants développez par écrit tous les temps simples et composés, à toutes les personnes:*

1. s'arrêter 2. s'endormir 3. se battre

3. *Conjuguez:*

1. se dépêcher, au présent négatif
2. se promener, à l'imparfait interrogatif
3. s'apercevoir, au futur négatif
4. s'endormir, au passé composé interrogatif
5. se marier, au présent interrogatif négatif
6. se réveiller, au conditionnel interrogatif négatif
7. se fatiguer, au passé composé négatif
8. s'appeler, au plus-que-parfait affirmatif
9. se reposer, à l'impératif affirmatif et à l'impératif négatif
10. se tromper, à l'impératif affirmatif et à l'impératif négatif

4. *Traduisez rapidement:*

1. Sit down.
2. Will she sit down?
3. Did she sit down?
4. Was she sitting down?
5. Don't sit down.
6. What is his name?
7. What was his name?
8. Wasn't his name John?
9. Go take a walk.
10. Don't hurry.
11. Go to sleep.
12. Had he gone to sleep?
13. Would he go to sleep?
14. Wouldn't he go to sleep?
15. We were mistaken.
16. Don't go to sleep then.
17. Did they marry?
18. They did marry.
19. Didn't they marry?
20. Don't marry.

CHAPITRE V

Verbes Réfléchis les Plus Usités

Les verbes réfléchis sont de deux sortes:

1. Verbes réfléchis par nature, c'est-à-dire, verbes qui demandent toujours le pronom réfléchi. Exemples:

s'évanouir	to faint
s'en aller	to go away
se souvenir	to remember

2. Verbes ordinaires, transitifs ou intransitifs, employés comme verbes réfléchis. Remarquez dans cette catégorie l'emploi du verbe avec le pronom réfléchi quand l'agent de l'action est sous-entendu, ce qui correspond à l'emploi du verbe avec **on** et à *one* ou le verbe au passif en anglais.

Je me demande qui est là.	I wonder who is there.
Elle se réveille à . . .	She wakes up at . . .
Il se couche vers . . .	He goes to bed about . . .
Nous nous parlons franchement.	We are frank with one another.
Cela se voit souvent. (On voit cela souvent.)	One sees that often.
Cela se vend partout.	That's sold everywhere.
Cela se peut.	That may be.

Mais:

Je vous demande votre nom.	I am asking your name.
Réveillez-moi à . . .	Wake me up at . . .
Elle a couché l'enfant.	She put the child to bed.

Liste des verbes réfléchis les plus usités:

s'en aller to go away, leave

Nous nous en sommes allés tout de suite. We went away at once.

s'amuser to enjoy oneself, have a good time

Elle s'est bien amusée au théâtre. She enjoyed herself a lot at the theater.

s'apercevoir to perceive

Il s'aperçoit qu'elle n'est pas bien portante. He perceives that she isn't well.

s'appeler to be named

Ma sœur s'appelle Marie. My sister's name is Marie.

s'arrêter to stop

Les trains s'étaient arrêtés. The trains had stopped.

s'asseoir to sit down, take a seat

Je m'assiérai près de vous. I shall sit down near you.

se battre to fight

Ils se sont battus pour un rien. They fought over nothing.

se coucher to go to bed, lie down

Couche-toi, mon petit. Lie down, little one.

se demander[1] to wonder

S'est-elle demandé pourquoi? Did she wonder why?

se dépêcher to hurry

Elle ne se dépêchait pas beaucoup. She didn't hurry very much.

s'endormir to go to sleep

Je m'endormirai vite. I shall go to sleep quickly.

s'ennuyer to be bored

Comme je m'ennuie ici! How bored I am here!

s'intéresser à to be interested in

Elle s'est intéressée à l'affaire. She took an interest in the matter.

se lever to rise, get up

On se lèvera de bonne heure. We'll get up early.

se marier à, avec to marry

Elle s'est mariée avec lui. She married him.

se mettre à to begin, set about

Je me suis mise à dresser une liste. I began to make a list.

se moquer de to make fun of	
Qui s'est moqué de lui?	Who made fun of him?
se plaindre de to complain	
Il se plaignait de nous.	He was complaining about us.
se promener to go for a walk	
Se promènent-ils souvent?	Do they often go walking?
se quereller to quarrel	
Ne vous querellez donc pas!	Oh, don't quarrel!
se rappeler[1,2] to recall, remember	
Elle s'est rappelé son nom.	She remembered his (her) name.
se réjouir de to rejoice	
Elle s'est réjouie de partir.	She rejoiced over going away.
se repentir de to repent	
On doit se repentir de ses péchés.	One should repent of one's sins.
se reposer to rest	
Reposez-vous là un instant.	Rest there a minute.
se réveiller to awaken	
C'est alors qu'elle s'est réveillée.	That's when she woke up.
se séparer de to be separated from	
Je refuse de me séparer de vous.	I refuse to be separated from you.
se servir de to use	
Il se servait de son stylo.	He was using his fountain pen.
se souvenir de[2] to remember	
S'est-elle souvenue de l'avoir fermé?	Did she remember having closed it?
se taire to be silent	
Elle s'est tue à mon entrée.	She stopped talking as I came in.
se tromper to be mistaken, make a mistake	
Ils se sont trompés de route.	They took the wrong road (made a mistake in their road).

[1] Le pronom réfléchi est complément indirect.

[2] **Se rappeler** s'emploie uniquement en parlant de choses ou de faits, **se souvenir** en parlant de choses, de faits et de personnes.

Je me souviens de lui. I remember him.

Exercices

1. *Traduisez:*

1. The train stops at Dieppe.
2. Did you have a good time at the movie (*cinéma*, m.)?
3. I go to bed at eleven o'clock and get up at six.
4. She was interested in you.
5. I shall not begin to talk.
6. Were they not mistaken?
7. The children have not awakened.
8. We have remembered your question.
9. They told each other stories.
10. They wouldn't shake hands.

2. *Traduisez:*

1. The soldiers were fighting for liberty.
2. Let us go for a walk in the park.
3. She has married her cousin.
4. Sit down near (*près de*) me.
5. He wonders where his son is fighting.
6. Hurry! The train leaves in a minute.
7. The boys made fun of the poor old woman.
8. I perceive she has made a mistake.
9. Being bored, I went to sleep.
10. They married and never, never quarreled.

3. *Traduisez:*

1. Go away if you can't keep still.
2. She used it to open the bottle.
3. She remembered him vaguely.
4. Take a rest before going for a walk.
5. I wonder what his name is.
6. We perceived we were mistaken.

CHAPITRE VI

Temps Futurs, Conditions

FUTUR, FUTUR ANTÉRIEUR

L'emploi du futur ou du futur antérieur est obligatoire quand on veut exprimer une action vraiment future après **quand, dès que, lorsque, après que,** etc.

Dès que je le saurai, je vous le dirai.	I shall tell you as soon as I know.
Elle nous écrira aussitôt qu'elle sera arrivée.	She'll write us as soon as she has arrived.

MAIS:

On se dit toujours la même chose quand on se voit.	We always say the same thing when we see each other.

LES CONDITIONS

1. Le conditionnel et le conditionnel antérieur expriment le résultat d'une condition exprimée par **si** suivi d'un verbe à l'imparfait ou au plus-que-parfait. Ils se traduisent par les auxiliaires anglais *should*, *would*, *should have*, *would have*. (La condition peut être sous-entendue, comme dans le dernier exemple.)

Il voudrait partir s'il le pouvait.	He would like to go away if he could.
Si j'étais à votre place je ne le ferais pas.	If I were you I wouldn't (shouldn't) do it.

Vous sauriez le faire (si vous y réfléchissiez).	You would know how to do it (if you thought about it).

2. Concordance des temps en exprimant une condition:

a. **Si** et le présent, verbe principal au présent ou au futur.

Si je suis malade je reste (resterai) chez moi.

b. **Si** et l'imparfait, verbe principal au conditionnel.

Si j'étais malade je resterais chez moi.

c. **Si** et le plus-que-parfait, verbe principal au conditionnel antérieur.

Si j'avais été malade je serais resté chez moi.

NOTE: **Si** avec le sens de *whether* est suivi du même temps qu'en anglais. Remarquez qu'aucun des verbes en italiques ne pourrait être employé à ces temps après **si** avec le sens de *if*, exprimant une condition.

a.	**Je me demande s'il** *sera* **à l'heure.**	I wonder whether he'll be on time.
b.	**Elle ne savait pas si elle se** *marierait.*	She didn't know whether she would get married.
c.	**Elle ne sait pas si elle se** *serait mariée* **avec lui si elle avait connu sa mère.**	She doesn't know whether she would have married him if she had known his mother.

3. Le conditionnel et le conditionnel antérieur servent à exprimer une action future par rapport à un verbe au passé.

a.	**Elle a déclaré qu'elle ne bougerait pas.**	She stated she wouldn't budge.
b.	**Vous pensiez qu'il serait en retard.**	You thought he would be late.
c.	**J'avais cru que vous seriez revenus.**	I had thought you would have returned.

Exercices

1. *Répétez chaque phrase aux trois temps possibles avec* **si,** *et traduisez en anglais:*

1. Si je (parler) je (dire) la vérité.
2. S'il (regarder) bien, il (trouver) ce qu'il cherche.
3. Si elle (avoir) mon livre, elle me le (donner).
4. Si vous (écrire) la lettre, vous (être) content.
5. S'ils le (désirer) ils le (faire).
6. Si nous (partir), ce (être) bientôt après.

2. *Répétez l'exercice 1 en mettant les verbes au négatif.*

3. *Mettez l'infinitif au temps nécessaire et expliquez votre choix:*

1. Je le ferais si je (être) à votre place.
2. S'il est absent je le (remarquer).
3. Savez-vous s'il (être) ici?
4. Si je voulais y aller je (accepter) l'invitation.
5. Je vous (écrire) une lettre si j'ai le temps.
6. Il m'aurait donné le livre s'il l'(apporter).
7. Je ne savais pas si je le (faire).
8. Si je (pouvoir) le faire je le ferai.
9. J'aurais assez de temps si je (partir) maintenant.
10. S'il ne l'avait pas oublié je ne le lui (pas rappeler).
11. Aussitôt que je le lui (faire) savoir il ne sourira plus.
12. J'irais avec vous si je le (pouvoir).
13. Je (chercher) encore si je ne le (trouver) pas.
14. Dès que vous (finir) faites-le-moi savoir.

4. *Traduisez:*

1. If I had the time I would go with you.
2. She will speak if you wish it.
3. When you have finished talking I'll say something.
4. She would have written if she had received your letter.
5. I'll go with him if it's possible.
6. If I were you I would not look.
7. If the student had worked he would have succeeded (*réussir*).
8. If he eats now he will not be hungry later.
9. He would not be hungry then (*alors*) if he ate now.
10. Had he hoped we would have sent them?
11. Ask him whether he would be willing to do it.

12. They would be able to go.
13. If he did it he would be glad (*content*).
14. If he were to ask me that question I couldn't answer.
15. She said she would help.
16. If he should lie to me I would never forget it.
17. I didn't know whether it would be possible.

CHAPITRE VII

L'Infinitif

L'infinitif s'emploie:

1. Après une préposition, excepté **en.**

	pour aller	in order to go
	avant de marcher	before walking
	sans parler	without speaking
MAIS:	**en parlant**	while *or* by speaking
	en faisant	while *or* by doing
	en partant	while *or* by leaving
	en s'asseyant	while *or* by sitting down

NOTE: Avec **après,** l'infinitif passé est obligatoire.

après avoir parlé	after having spoken
après être resté(e)(s)	after having stayed
après s'être levé(e)(s)	after having gotten up

2. Comme sujet d'un verbe.

S'échapper est impossible. To escape is impossible.

3. Après un autre verbe, sans préposition:

aimer like, love
aller go (and do something)
croire believe, think
désirer wish
devoir must, ought, should
écouter (quelqu'un) listen to (someone do something)
entendre (quelqu'un) hear (someone do something)
envoyer (quelqu'un) send (someone to do something)

espérer hope
faillir nearly, almost (do), just miss (doing something)
faire (quelqu'un) make, have (someone do something)
falloir must, ought, be necessary
laisser (quelqu'un) allow (someone to do something)
oser dare to
paraître appear, seem
penser be about to, on the point of, intend
pouvoir be able, can
préférer prefer
se rappeler (+ *infinitif passé*) remember (having done something)
regarder (quelqu'un) look at, watch (someone do something)
savoir know how to
sembler seem
souhaiter hope
valoir mieux be preferable
venir come (and do)
voir (quelqu'un) see (someone do something)
vouloir wish, want, insist
etc.

Allez chercher la voiture.	Go and get the car.
Il croit les voir.	He thinks he sees them.
J'ai entendu lire la leçon.	I heard the lesson read.
J'ai entendu le professeur lire la leçon.	I heard the teacher read the lesson.
A-t-elle voulu parler?	Did she insist on talking?
Ne désire-t-elle pas vous accompagner?	Doesn't she want to go with you?

MAIS:

Je désire qu'elle m'accompagne.	I want her to accompany me.

4. Après un verbe demandant la préposition **à**:

aider (quelqu'un) à help, aid
chercher à try to, seek to
commencer à begin
consentir à consent
demander à ask permission, request (to do)
hésiter à hesitate
inviter quelqu'un à invite
penser à think of
réussir à succeed in
etc.

Il a aidé à faire la vaisselle.	He helped wash the dishes.
Il nous a aidés à faire la lessive.	He helped us do the washing.
Demandez à le faire tout seul.	Ask to (if you can) do it by yourself.

5. Après un verbe demandant la préposition **de:**

achever de	finish (doing something)
il s'agit de	it is a question of (doing something)
attendre de	wait to
conseiller (à quelqu'un) de	advise (someone to do, doing something)
craindre de	fear (doing something)
défendre (à quelqu'un) de	forbid (someone to do, doing something)
demander (à quelqu'un) de	ask (someone to do something)
se dépêcher de	hurry to
dire (à quelqu'un) de	tell (someone to do, say to do)
empêcher quelqu'un de	prevent someone (from doing something)
essayer de	try to
éviter de	avoid (doing something)
faire bien de	do well to
faire mieux de	do better to
finir de	finish (doing something)
manquer de	neglect, omit (doing something), fail to (do), almost (do)
oublier de	forget to
ordonner (à quelqu'un) de	command (someone) to
pardonner (à quelqu'un) de (+ infinitif passé)	pardon, forgive (someone for having done something)
parler (à quelqu'un) de	talk (to someone) about, of (doing something)

permettre (à quelqu'un) de	permit, allow (someone to do something)
proposer (à quelqu'un) de	propose (to someone) to (do something)
prier quelqu'un de	beg (someone to do something)
refuser (à quelqu'un) de	refuse to (do something for someone)
regretter de	regret doing, having done (something)
remercier quelqu'un de	thank (someone for doing something)
se souvenir de	remember (doing something)
tâcher de	try to
venir de	to have just (done something)

etc.

A qui a-t-il demandé de le faire?	Whom did he ask to do it?
Il faut l'empêcher de témoigner.	We must prevent him from testifying.
Je ne vous pardonnerai pas d'avoir menti.	I shall not forgive you for having lied.

Exercices

1. *Traduisez:*

1. Without eating.
2. By studying.
3. After having studied.
4. Before leaving.
5. In order to know.
6. While walking.
7. After having gone to bed.
8. Seeing is believing.
9. To know is to be able.
10. After staying.

2. *Indiquez la préposition qu'il faut, s'il en faut une:*

1. Le général sait ________ commander.
2. Elle l'a invité ________ venir chez elle.
3. Le gosse n'a pas voulu ________ manger.
4. Il est allé ________ faire ses adieux.

5. Je vous prie ______ ne pas en parler.
6. Elle a oublié ______ prendre son sac.
7. Elle désire ______ ne pas le voir.
8. J'hésiterais ______ l'encourager.
9. Elles demandent ______ vous aider.
10. Avez-vous fini ______ parler?
11. Il ne faut pas craindre ______ se tromper.
12. Je l'ai empêchée ______ partir.
13. Elle semble ______ avoir raison.
14. Je ne lui ai pas dit ______ filer.
15. Nous cherchons ______ vous aider.
16. Il s'agit ______ nous en débarrasser.
17. On m'a défendu ______ jouer.
18. Il vaut mieux ______ ne pas se taire.
19. Dépêchez-vous ______ vous lever.
20. Espérez-vous ______ l'arrêter?

3. *Traduisez:*

1. Go and see what he wants.
2. Can you allow them to come in?
3. She came to see us.
4. He must be here.
5. They had just left.
6. She will remember to give it to him.
7. I begged them not to stop.
8. He hurried to leave.
9. I thought I saw him.
10. Listen to him talk!
11. He's thinking of leaving.
12. She wants to help.
13. He refuses to coöperate.
14. You would do well not to speak.
15. She doesn't like to read.
16. She doesn't know how to read.
17. It would be better to keep still.
18. Try to avoid falling.

CHAPITRE VIII

L'Infinitif (Suite)

Quand l'infinitif s'emploie:

1. Après un adjectif: l'infinitif est précédé de la préposition **à** ou **de** selon le caractère de la locution.

a. Dans une proposition impersonnelle, **de** précède l'infinitif. Dans ce cas l'infinitif est le vrai sujet de la proposition.

Il est indispensable de connaître les faits.	It is indispensable to know the facts. (To know the facts is indispensable.)
Il est facile de les connaître.	It is easy to know them. (To know them is easy.)

b. Dans une proposition personnelle:

1. **de** précède l'infinitif quand l'adjectif indique une émotion:

Il est content de nous voir.	He is happy to see us.
Je suis désolé d'apprendre cela.	I am so sorry to hear that.
Elle est fâchée d'être restée.	She is sorry she stayed.

2. **à** précède l'infinitif quand l'adjectif indique une qualité ou une tendance:

Les faits sont faciles à connaître.	The facts are easy to know.
Ils sont bons à manger.	They are good to eat.

Nous sommes prêts à travailler.	We are ready to work.
Qu'elle est lente à se décider!	How slow she is in making up her mind!
Il sera prompt à nous le faire sentir.	He will be quick to make us aware of it.
Tout ceci n'est pas commode à expliquer.	All this isn't easy to explain.

2. Après un substantif (nom ou pronom):

a. **de** précède l'infinitif si le substantif ne peut s'entendre ni comme complément ni comme sujet du verbe à l'infinitif:

Nous avons le temps de le faire. (Nous voulons le faire et nous avons le temps.)	We have time to do it.
C'est le moment de partir. (Nous devons partir et le moment est venu.)	It is time (for us, you, etc.) to leave.
Il est temps de s'expliquer. (Nous devons nous expliquer et il en est temps.)	It is time (for us, you, etc.) to have an understanding.
Quel plaisir de se revoir! (Nous nous revoyons et c'est un plaisir.)	What a pleasure to see one another again!
Il a lieu d'en rougir. (Il en rougit et il en a lieu.)	He has cause to blush over it.
Il a tort d'en parler. (Il en parle et il a tort.)	He is wrong in speaking of it.
C'est à moi de jouer. (Je vais jouer puisque c'est mon tour.)	It is my turn to play.
Ils sont sur le point de partir. (Ils vont partir et dans un instant.)	They are about to leave.

NOTE: **à** se met devant l'infinitif pour quelques locutions prépositives qui ont le sens de **en faisant, en étant.**

Il prend plaisir à être méchant.	He takes pleasure in being mean.
Elle a du mal à s'expliquer.	She has trouble explaining herself.

b. **à** précède l'infinitif si l'action du verbe à l'infinitif se rapporte directement au substantif que la locution prépositive qualifie. Le plus souvent le substantif a le sens du complément de l'infinitif; quelquefois il a le sens du sujet de l'infinitif.

Il n'y a pas de temps à perdre. (perdre du temps)	There is no time to lose.
Je ne trouve rien à faire. (ne rien faire)	I (can) find nothing to do.
Qu'y a-t-il à manger? (manger quoi?)	What is there to eat?
Une maison à louer. (louer une maison)	A house for rent.
Un thème à copier. (copier un thème)	An exercise to copy.
Une amie à voir. (voir une amie)	A friend to see.
Un homme à pendre. (pendre un homme)	A man to hang.
Une chambre à coucher. (coucher dans une chambre)	A bedroom. (room to sleep in)
La salle à manger. (manger dans la salle)	The dining room. (room to eat in)
Une machine à coudre, à écrire, etc. (machine qui coud, qui écrit)	A sewing machine (machine for sewing), typewriter.
La première à se marier. (première qui se marie)	The first to get married.
Le dernier à partir. (le dernier qui part)	The last to leave.

3. Après un adverbe, un adjectif ou une locution adjectivale qualifiés par **trop** ou **assez, pour** précède l'infinitif.

Il est trop tard pour recommencer.	It is too late to begin again.
Elle est assez discrète pour se taire.	She is discreet enough to keep still.
Il n'y a pas assez de temps pour l'expliquer.	There isn't time enough to explain.

Exercices

1. *Ajoutez la préposition que veut la locution, et expliquez votre choix:*

1. Il est temps ______ partir.
2. Enchanté ______ accepter.
3. Du temps ______ perdre.
4. Un livre ______ brûler.
5. Mon tour ______ regarder.
6. Le premier ______ revenir.
7. Prêt ______ commencer.
8. Le droit ______ rester.
9. Avoir raison ______ rester.
10. Avoir du mal ______ parler.
11. Une maison ______ vendre.
12. Avoir lieu ______ se plaindre.
13. Une chanson ______ chanter.
14. Le seul ______ voir.
15. Une machine ______ battre.
16. Sur le point ______ s'expliquer.
17. Des cartes ______ jouer.
18. De la peine ______ réussir.
19. Un exercice ______ revoir.
20. A lui ______ s'excuser.
21. Quel ennui ______ se taire!
22. Lent ______ comprendre.
23. Désolé ______ l'apprendre.
24. Bonne ______ boire.

2. *Traduisez:*

1. It is important to finish it.
2. He is happy to see us.
3. That will be amusing to see.
4. Is it so difficult to do?
5. He hasn't time to study.
6. It's much too early to know.
7. There is nothing to do.
8. There is nothing to be done.
9. It isn't good to drink.
10. Find me a room for rent.
11. What is there to eat?
12. He's not big enough to help us.

CHAPITRE IX

Différences de Régime Entre l'Anglais et le Français

1. Certains verbes, y compris plusieurs verbes réfléchis, ont la préposition **de** devant le complément. (Quand une proposition précédée d'une conjonction remplace le substantif ou le pronom, **de** est supprimé.) Tels sont:

s'apercevoir de, que	perceive	(something,	that something)
s'approcher de	approach	"	
changer de	change	"	
douter de, que	doubt	"	that something)
se douter de, que	suspect	"	" "
jouer de	play (an instrument)	"	
jouir de	enjoy	"	
se méfier de	distrust	"	
manquer de	lack, be short of	"	
se passer de	do without	"	
se rendre compte de, que	realize	"	that something)
se servir de	use	"	
se souvenir de, que	remember	"	that something)
user de	use	"	
etc.			

Elle s'est aperçue de sa faute.	She perceived her error.
Elle s'est aperçue qu'elle avait tort.	She realized she was wrong.
Nous devrions changer de livre.	We ought to change books.
Ils doutaient de son histoire.	They doubted his story.

J'en doute aussi.	I doubt it too.
Je doute qu'il ait dit cela.	I doubt that he said that.
Elle s'est doutée de mon intention.	She suspected my intention.
On manque de fonds.	They (we) have no capital.
Voilà ce dont elle s'est servie.	Here is what she used.

NOTE 1 : Si on traduit **se servir de** par *to serve, avail oneself of*, on se rend compte que le pronom réfléchi est le complément direct.

NOTE 2 : En outre (*Moreover*), l'anglais de plusieurs autres expressions du même genre est grammaticalement pareil en français.

se défaire de rid oneself of, get rid of

NOTE 3 : Pour l'emploi des prépositions **de** et **à** avec l'article défini, voyez note 2, page 71 ; avec le pronom, voyez page 86.

2. Plusieurs verbes, pour la plupart réfléchis, ont le régime prépositif avec **à**, où en anglais on trouve un complément direct ou la préposition *in*:

assister à	attend, be present
s'attendre à	expect
se fier à	trust, trust in
s'intéresser à	take an interest, be interested in
jouer à	play (a game)
se mettre à	begin
etc.	

Il a assisté à la conférence.	He attended the lecture.
Il faut s'attendre à une explosion.	One must expect an explosion.
Mettez-vous au travail!	Get working!
Quelle salade! Mais je m'y attendais.	What a mess! But I was expecting it.
Je ne me fierais pas à lui.	I shouldn't trust him.
A quoi vous intéressez-vous?	What are you interested in?

NOTE : D'autres expressions semblables, telles que **s'accoutumer à,** *to accustom oneself to*, ont une traduction en anglais parallèle au français.

3. Certains verbes ont le régime indirect où l'on trouve la préposition *from* en anglais.

acheter à	buy from
arracher à	snatch, tear away from
cacher à	hide from
emprunter à	borrow from
ôter à	take away from
prendre à	take from
voler à	steal from
etc.	

Je lui ai acheté son truc.	I bought his gadget (from him).
Elle voulait m'emprunter le vélo.	She wanted to borrow the bicycle from me.
Auquel avait-on volé la montre?	Which one had his watch stolen?

Exercices

1. *Indiquez la préposition voulue par le régime, s'il en faut une:*

1. Nous nous sommes approchés ________ la porte.
2. Il s'intéresse ________ l'histoire.
3. Cachez-le ________ ma sœur.
4. Elle s'est servie ________ la traduction.
5. Mais sait-elle jouer ________ la guitare?
6. Je ne doute pas ________ sa sincérité.
7. Nous devons assister ________ l'inauguration.
8. L'enfant fut arraché ________ la bonne.
9. On l'a pris ________ l'aveugle.
10. Elle ne veut pas changer ________ idée.

2. *Traduisez le pronom en faisant les changements nécessaires:*

1. Elle ne ________ doutait pas (*it*).
2. Il faut se ________ attendre (*it*).
3. Peut-on le ________ emprunter (*from him*)?
4. Se ________ souvenait-elle (*it*)?
5. Ne vous ________ approchez pas (*them*).

6. Vous intéressez-vous ________ (*them*)?
7. Il ________ joue souvent (*it—game*).
8. Otez- ________ son revolver (*from him*).
9. On ________ manque maintenant (*them*).
10. On le ________ a caché (*from him*).
11. Vous ________ attendez-vous (*it*)?

3. *Traduisez:*

1. Must you take it away from a child?
2. Can't you do without it?
3. Change clothes immediately.
4. Buy your newspapers from that old woman.
5. She didn't remember the day.
6. I say I enjoyed the walk.
7. We aren't interested in the game.
8. He expects trouble (*difficultés*).
9. She plays cards very badly.
10. Nobody trusts me.
11. They stole it from him.
12. Did he perceive his error?
13. Don't take the candy away from her!
14. Don't trust her.
15. Begin work.
16. He doesn't suspect it.
17. Use a little finesse.
18. He doesn't realize it yet.
19. Why not do without?
20. Come a little closer to it.
21. They enjoy a good reputation.
22. He lacks courage.
23. I didn't attend (it).

CHAPITRE X

Différences de Régime (Suite)

1. Quelques verbes demandent le régime indirect pour la personne, et le régime direct pour la chose, où en anglais la personne est au régime direct suivie de la préposition *for*.

demander quelque chose à	ask for
pardonner " " "	pardon for
payer " " "	pay for
reprocher " " "	reproach for
etc.	

Je lui demande une leçon.	I ask him for a lesson.
Nous lui pardonnons ses défauts.	We forgive him (for) his faults.
Me reprochez-vous ma veine?	Do you reproach me for my good luck?
Payez-lui son livre.	Pay him for his book.

Acheter et **commander** sont pareils aux verbes de cette liste mais se traduisent différemment in anglais.

acheter, commander quelque chose à quelqu'un	buy, order something from someone

2. Quelques verbes ont le régime indirect qui, en anglais, s'emploient sans préposition devant le complément.

aller à	suit, fit
conseiller quelque chose à	advise
convenir à	suit, be agreeable to
défendre quelque chose à	forbid

dire " " "	tell
faire mal à	hurt
obéir à	obey
promettre quelque chose à	promise
répondre " " "	answer
etc.	

Je vous conseille un chapeau plus pratique.	I advise you (to get) a more practical hat.
A qui n'obéit-il pas?	Whom doesn't he obey?
On leur défend les jeux dangereux.	They forbid them dangerous games.
Répondez au professeur en français.	Answer the teacher in French.

3. Quelques verbes ont le régime direct qui, en anglais, ont une préposition:

attendre	wait for
chercher	look for
écouter	listen to
envoyer chercher	send for
regarder	look at
etc.	

Ne le cherchez pas par là.	Don't look for it over there.
Qu'attendez-vous?	What are you waiting for?

4. Exemples non classés:

se connaître en, à	know about, be a judge of
dépendre de	depend on
échouer à	fail in, fail (an examination)
entrer dans	enter, go into
falloir à	need, must have, be necessary to
manquer à	be missing
se mêler à	to mingle with
se mêler de	to interfere with, concern oneself with, dabble in, meddle with
penser à, de	think about (reflection), of (opinion)

remercier de	thank for
réussir à	succeed in, pass (an examination)
rire de	laugh at
Cela dépend entièrement de vous.	It all depends on you.
Pensez-y un instant.	Think about it a moment.
Qu'est-ce que vous en pensez?	What do you think (is your opinion) of it?
Mêlez-vous de ce qui vous regarde!	Mind your own business!
Je vous manque?	You miss me?

Exercices

1. *Indiquez la préposition voulue par le régime, s'il en faut une:*

1. Elle va attendre ________ notre arrivée.
2. Réussira-t-il ________ son examen?
3. Envoyons chercher ________ un interprète.
4. Tu reproches ________ ta femme d'être économe?
5. Elle venait d'entrer ________ la baraque.
6. Tu ne veux pas obéir ________ papa? Tiens!
7. Regarde ________ ce que tu fais, mon amour!
8. Je ne pardonnerai jamais ________ cette brute!
9. ________ l'argent il faut de l'argent.
10. Ce n'est pas gentil de rire ________ son chapeau.

2. *Mettez le pronom anglais au régime voulu, tout en apportant les changements nécessaires:*

1. Ne ________ écoutez pas (*them*)!
2. Je ________ en ai remercié (*her*).
3. Je vous promets de ________ penser (*of it*).
4. Il ________ a défendu de sortir (*them*).
5. Est-ce que cela ________ va (*him*)?
6. On ________ défend ce genre d'idée (*them*).
7. Je ne ________ reproche rien (*them*).
8. Commandez ________ deux biftecks (*from him*).
9. Il faut ________ penser tout de suite (*of it*).
10. Qu'est-ce que vous ________ pensez maintenant (*of it*)?

3. *Traduisez:*

1. How can I succeed in this examination?
2. He wants me to pay him for it.
3. Do you think it would hurt them?
4. And he's a good judge of horses, too.
5. She was asking us for lots of things.
6. They were asking for their friend.
7. If you can't pay for it don't ask for it.
8. She will never pardon him for that.
9. Don't tell him, let him guess.
10. I reproach poor grandmother for so many things.
11. Did they say they missed us?

4 *Traduisez:*

1. What does that depend on?
2. Doesn't it suit him?
3. Answer his letter.
4. He promised it to us.
5. He knows about explosions.
6. He's always butting into our affairs.
7. It's agreeable to her.
8. Did the lecture (*conférence*) suit her?
9. That's what I advised him.
10. Don't look at him now.
11. I wasn't looking for it.
12. He doesn't ever miss me.
13. We must have money.

CHAPITRE XI

La Théorie du Subjonctif

Le mode subjonctif s'emploie quand on présente, dans une proposition subordonnée, un fait ou un acte projeté qui est, ou a été, soumis à un jugement subjectif. Il s'agit, non pas du fait en tant que fait, mais de l'attitude que l'on a envers le fait.

Le jugement entraînant le subjonctif peut figurer de diverses façons dans la phrase:

1. Il peut constituer la proposition principale de la phrase.

Je trouve bon qu'il soit puni.	It is well that he be punished.
Il faut qu'il se taise.	He must stop talking.
Il doute que je puisse l'aider.	He doubts that I can help him.

2. Il peut produire une émotion qui elle-même constitue la proposition principale de la phrase. Dans les exemples cités les émotions exprimées viennent du fait que la personne qui parle a jugé le fait à la lumière de ses propres désirs et que, vu ainsi, le fait est bon ou mauvais et produit l'émotion exprimée.

Je suis désolé qu'il s'en aille.	I am very sorry he's going away.
Je suis ravi qu'il s'en aille.	I am delighted he's going away.

3. Il est sous-entendu par le fait même d'employer le subjonctif dans la proposition subordonnée afin d'indiquer le doute.

Je cherche quelqu'un qui puisse le faire.	I am looking for someone who may be able to do it (but I don't know whether there is such a person or whether I shall be able to find him).

4. Il est sous-entendu dans l'emploi d'une locution conjonctive.

Bien qu'elle puisse accepter elle n'en sera pas contente.	Although she may accept she will not be happy about it.

Tout jugement pourtant ne demande pas le subjonctif, car si un jugement exprime une certitude on emploie l'indicatif.

Je suis sûr qu'il sera d'accord.	I am sure he will agree.
Il est certain qu'il finira.	It is certain he will finish.

MAIS: Le doute étant introduit par une négation ou une interrogation, on emploie le subjonctif.

Il n'est pas certain qu'il finisse.	It is not certain he will finish.

Pour résumer la théorie du subjonctif, on peut donc dire qu'on l'emploie dans une proposition subordonnée dont la déclaration de fait est soumise à un jugement qui, de diverses façons, (1) exprime un doute; (2) produit ou exprime une émotion ou une attitude subjective envers le fait. Quoique les deux cas dépendent d'un jugement on peut, afin de simplifier davantage, les dénommer **subjonctif de doute** et **subjonctif de jugement.**

NOTE 1: Entre la certitude et le doute évidents, et entre l'expression évidente d'une émotion et une simple déclaration de fait, il y a des cas douteux pour lesquels l'usage a déterminé la syntaxe. Par exemple, on emploie le subjonctif après **il est possible que, il semble que** (*it seems that*), et l'indicatif après **il est probable que, il me**

semble que (*it seems to me that*), le degré de doute ayant déterminé le mode qu'on emploie. On emploie le subjonctif après **il faut que, il est nécessaire que,** et l'indicatif après **je trouve que, je crois que, j'espère que,** à l'affirmatif, le choix de mode étant déterminé par l'usage plutôt que par la logique.

NOTE 2: Le subjonctif s'emploie généralement quand le sujet de la proposition subordonnée n'est pas le même que celui de la proposition principale. Si l'action des deux verbes est exécutée par la même personne on emploie normalement un infinitif au lieu d'une proposition subordonnée. Comparez:

Je crains qu'il ne se trompe.	I'm afraid he'll make a mistake.
Je crains de me tromper.	I'm afraid I'll make a mistake. I'm afraid of making a mistake.

L'emploi correct du subjonctif par celui qui apprend la langue ne dépend pas, évidemment, d'une compréhension de la théorie exposée ci-dessus; pour employer le subjonctif correctement il s'agit simplement de se familiariser avec le nombre, limité d'ailleurs, de locutions et de genres de locutions qui demandent le subjonctif. Ce dernier travail sera moins fastidieux pour l'étudiant étranger s'il comprend les nuances qui, en général, déterminent l'emploi de ce mode.

Concordance des temps de l'indicatif et du subjonctif. Aujourd'hui, dans la langue parlée, on n'emploie en général que le subjonctif présent et passé (*present and perfect*). La 3ᵉ personne du singulier de l'imparfait du subjonctif ressemble au passé défini de l'indicatif et ne choque pas l'oreille. D'ordinaire, pourtant, on évite l'imparfait et le plus-que-parfait du subjonctif en mettant le verbe au présent ou au passé, ou en tournant la phrase d'une autre façon. Un infinitif ou un substantif se prête souvent à ce dernier procédé. Notez-en les exemples dans chaque section des deux chapitres suivants.

1. Dans la langue littéraire.

a. Verbe principal

au présent au futur à l'impératif	avec	le subjonctif présent; le subjonctif passé, pour une action antérieure, déjà complétée.

Je regrette qu'elle ne soit pas ici.	I regret she isn't here.
Je regrette qu'elle n'ait pas été ici.	I regret she wasn't here.
Attendez que nous soyons partis.	Wait until we have left.

b. Verbe principal

à l'imparfait au passé composé au passé défini au conditionnel	avec	le subjonctif imparfait pour une action non pas encore effectuée le subjonctif plus-que-parfait pour une action terminée.

Nous voulions qu'elle restât.	We wanted her to stay.
Nous étions heureux qu'elle ne fût pas retrouvée.	We were happy it was not found.
J'attendrais qu'il parlât.	I should wait until he spoke.

2. Dans la langue de tous les jours.

Verbe principal

au présent au futur à l'imparfait au passé composé au passé défini au conditionnel	avec	une locution qui évite le subjonctif, ou bien: le subjonctif présent le subjonctif passé pour une action antérieure à celle du verbe principal.

J'ai regretté qu'il vienne.	I regretted he came.
J'ai regretté qu'il soit venu.	I regretted he had come.

NOTE: Les expressions telles que **Vive le roi!** *Long live the king!* et **Dieu vous bénisse!** *God bless you!* dépendent d'une volonté non pas exprimée mais bien sous-entendue comme proposition principale.

Exercices

Dans quelques-uns des exercices des deux chapitres suivants expliquez la raison de l'emploi du mode subjonctif et indiquez le choix de temps possibles.

CHAPITRE XII

Le Subjonctif de Doute

Le subjonctif s'emploie après le doute exprimé par

1. Un verbe.

attendre que	wait until	**nier que**[1]	deny that
douter que[1]	doubt that	**il se peut que**	it may be that
il arrive que	it happens that	**il semble que**	it seems that

croire que *believe that* **dire que** *say that* **espérer que** *hope that* **penser que** *think that* **il me (lui, nous, vous, leur) semble que** *it seems to me, etc., that*	au subjonctif généralement quand ils sont à l'interrogatif et au négatif, autrement à l'indicatif.

J'attendais qu'il se fût expliqué.	I was waiting until he explained himself.
Il se peut qu'elle s'en aille.	She may go away.
Croyez-vous qu'il la voie?	Do you think he will see her?
Je ne nie pas qu'elle n'ait raison.	I don't deny she is right.

NOTE: Se rappeler qu'une locution infinitive n'est pas possible quand le sujet du deuxième verbe est autre que le sujet du verbe principal. Dans ce cas il faut une proposition subordonnée ayant le verbe au subjonctif. (**Je . . . il, il . . . elle, vous . . . il,** dans les exemples ci-dessus.)

[1] Quand **douter** et **nier** sont au négatif ou à l'interrogatif ils demandent un **ne** explétif devant le verbe de la proposition subordonnée.

MAIS: Quand il s'agit de la même personne comme sujet des deux verbes, l'infinitif au lieu de **que** + le subjonctif est courant.

Croyez-vous la voir?	Do you think you'll see her?

Pour éviter le subjonctif:

J'attendais son explication.
Peut-être qu'elle s'en ira.
Elle pourrait s'en aller.
La verra-t-il?
Elle a peut-être raison. Je ne dis pas le contraire.

2. Un adjectif.

il est possible que	**il est impossible que**
il est improbable que	**il est douteux que**

il est vrai, sûr, certain etc. au négatif ou à l'interrogatif

Il est impossible qu'elle ait dit cela.	It is impossible that she should have said that.

Pour éviter le subjonctif:

Elle n'a pas pu dire cela.
Elle, dire cela? Impossible!

3. Un adjectif employé comme substantif, un adjectif qualifié d'un superlatif, un adverbe, un pronom, pour lesquels on veut faire une restriction (*reservation*).

le superlatif de l'adjectif: **le plus grand, beau, fort,** etc.	**ne . . . aucun** not any
	ne . . . jamais never
le dernier the last	**ne . . . personne** no one
le premier the first	**ne . . . rien** nothing
le seul the only	etc.

C'est l'homme le plus méchant qui soit.	He is the wickedest man alive.

C'est le seul bon livre que je connaisse sur le sujet.	It's the only good book I know on the subject.
Je ne connais personne qui puisse le croire.	I don't know anybody who would believe it.

Pour éviter le subjonctif:

C'est le plus méchant des hommes.
Je ne connais qu'un seul bon livre sur le sujet.
Qui le croira? Personne.
Je sais que personne ne le croira.

4. Une locution conjonctive.

bien que, quoique	although	**avant que**	before
jusqu'à ce que	until	**pourvu que**	provided that
à moins que	unless	**sans que**	without
etc.			

Bien que je sois malade, j'irai.	Although I am ill I shall go.
Il restera jusqu'à ce qu'elle arrive.	He will stay until she arrives.

Pour éviter le subjonctif:

Je suis malade mais j'irai quand même.
J'irai malgré le fait que je suis malade.
Je ne partirai pas avant son arrivée.
Je resterai jusqu'à son arrivée.
Je la verrai arriver avant de partir.

5. Un pronom ou un adverbe indéfini.

qui que	whoever	**quel que**	whatever
quoi que	whatever	**quelque (grand) que**	however (large)

Qui que vous soyez je vous le défends.	Whoever you are I forbid you to do it.
Qui que ce soit, je ne veux pas le voir.	Whoever it is, I won't see him.

Quelle que soit votre excuse, on ne l'acceptera pas.	Whatever (may be) your excuse, it won't be accepted.
Quelque difficile que cela paraisse, vous réussirez.	However difficult it appears, you will succeed.

Pour éviter le subjonctif:

Je le défendrais à n'importe qui.
Je le défendrais même au Grand Turc.
On n'acceptera aucune excuse.
Cela peut être difficile mais vous réussirez quand même.

Exercices

1. *Mettez chaque infinitif au temps nécessaire; expliquez-en la raison et traduisez en anglais:*

1. Je serai là avant que vous (arriver).
2. J'écris souvent quoiqu'elle ne (répondre) pas toujours.
3. Il est parti sans que vous le (savoir).
4. Je ferai le voyage pourvu que le temps (être) beau.
5. Je le savais sans qu'il le (dire).
6. A moins que vous ne (venir) pas, je partirai.
7. Nous nous comprenons, bien que nous (s'écrire) rarement.
8. Je ne dis pas qu'elle (être) belle.
9. Je crois qu'il (être) ici.
10. Vous semble-t-il qu'il (avoir) raison?
11. Il n'est pas certain qu'ils (venir).
12. Mais il est sûr que je (partir) demain.
13. Arrive-t-il qu'on (dire) toujours la vérité?
14. Ne leur semble-t-il pas que je (devoir) parler?
15. Il me semble que vous (dire) la vérité.
16. Elle ne croit pas que je (être) malade.
17. Pensez-vous qu'elle (écrire) bien?
18. Il est vrai qu'elle (avoir) soixante ans.
19. Qui doute que cette idée (pouvoir) l'intéresser?
20. Il se peut que je le (faire).
21. Il sera impossible qu'elle (venir) avec nous.
22. Vous semble-t-il qu'elle (être) sincère?
23. Il est possible qu'il (écrire).

2. *Traduisez:*

1. He wouldn't do that without my knowing it.
2. They won't go home unless we ask them to leave.
3. Tell him to do nothing until I see her.
4. Why don't you leave before she asks you to?
5. She desires nothing, provided he is there.
6. I shall stay until he telephones.
7. Although she hates fish she eats it.
8. It is impossible that he plays the violin.
9. It may very well be that she hears you.
10. It seems we are wrong.
11. Do you deny you are wrong?

3. *Mettez chaque infinitif au temps nécessaire et expliquez votre choix:*

1. C'est la dernière chose qu'il (devoir) faire, n'est-ce pas?
2. Cette cathédrale est la plus laide qui (exister).
3. Je n'ai trouvé personne qui (comprendre) cela.
4. Il ne voit aucune excuse qui (tenir).
5. Il n'y a rien, me semble-t-il, qui (pouvoir) la troubler.
6. Est-ce la première fois qu'on le (voir)?
7. Voilà la seule raison qui (pouvoir) nous en empêcher.
8. C'est l'enfant le plus sot qu'on (voir).
9. Personne ne prédit que la guerre (finir) bientôt.
10. Je n'y vois rien qui (être) très intéressant.
11. Depuis longtemps il espère qu'elle (revenir) un jour.
12. Il leur semble qu'il (être) nécessaire que vous (tenir) ferme.
13. Il n'est pas vrai que je le (prendre) sérieusement.
14. Avant que nous (partir) dites-lui que vous (avoir) tort.
15. Il n'y a personne qui (pouvoir) écrire comme lui.
16. Espérez-vous qu'il (vouloir) le faire?
17. Je doute qu'il (dire) la vérité.

4. *Traduisez:*

1. It happens he is sick.
2. Whomever you resemble.
3. It seems to me we are right.
4. It does not seem to him we are right.
5. Whatever his reasons.
6. They think we will go away.
7. I do not believe she could tell the truth.
8. Are we sure they will go away?

9. It doesn't often happen he sends us a letter.
10. It is sure he is leaving, but is it sure that he won't return?
11. We hope you are right.
12. It does not seem to me that they can be right.
13. Whatever he thinks he is mistaken.
14. I doubt that he was there.

5. *Dans une dizaine de phrases des exercices 1 et 3 trouvez un moyen d'éviter le subjonctif.*

CHAPITRE XIII

Le Subjonctif de Jugement

Le subjonctif s'emploie après un jugement exprimé par:

1. Un verbe.

aimer que like
commander que order
craindre que . . . (ne) fear
demander que ask
désirer que wish
empêcher que . . . (ne) prevent
s'étonner que be astonished that
éviter que . . . (ne) avoid
exiger que require
insister pour que insist on (someone doing something)

ordonner que command
regretter que regret, be sorry that
souhaiter que hope
vouloir que want
il faut que must, have to, etc.
il importe que it is important that
il vaut mieux que it is better that
etc.

Je crains que vous n'ayez raison.	I am afraid you are right.
Elle voudrait que j'aille avec elle.	She'd like me to go with her.

NOTE: **Éviter** et **empêcher** ont d'ordinaire un **ne** explétif. **Craindre** demande un **ne** explétif devant le subjonctif qui le suit quand on craint que quelque chose **ne** soit (*should be*) ou **n'**arrive (*may happen*); **ne . . . pas** quand on craint que quelque chose **n'**arrive **pas.** Pas de **ne** explétif en général après ces verbes au négatif et à l'interrogatif.

Je crains qu'il ne le fasse.	I fear he will do it.
Je crains qu'il ne le fasse pas.	I fear he won't do it.

Je ne crains pas qu'il le fasse.	I don't fear he will do it.
Craignez-vous qu'il le fasse?	Do you fear he will do it?

Pour éviter le subjonctif:

Pour moi, vous n'avez pas raison.
Je pense que vous vous trompez.
Elle serait contente si j'allais avec elle.

2. Un adjectif.

être content que	be happy that
être triste, malheureux que	be sad, unhappy that
être surpris que	be surprised that
être nécessaire que	be necessary that
etc.	
Elle était heureuse que nous ayons pu (eussions pu) l'aider.	She was happy that we should have been able to help her.

Pour éviter le subjonctif:

Elle était heureuse de ce que nous avions pu l'aider.
Elle était heureuse de notre aide.
Notre aide l'a rendue heureuse.

3. Un substantif.

avoir peur que[1] . . . (ne)	be afraid that
avoir honte que	be ashamed that
prendre garde que . . . (ne)	be careful lest
etc.	
J'ai honte qu'il se soit conduit ainsi.	I'm ashamed that he behaved like that.
Prenez garde qu'il ne vous entende.	Take care lest he hear you (he doesn't hear you).

Pour éviter le subjonctif:

Je rougis de sa conduite.	I blush for his conduct.
Sa conduite me fait honte.	His conduct shames me.

4. Une locution conjonctive.

afin que, pour que	in order that, so that
de peur que[1] **. . . (ne)**	for fear that
etc.	

Elle a dit cela afin que je comprenne son état d'esprit.	She said that so that I might understand her state of mind.

Pour éviter le subjonctif:

Elle a dit cela pour me faire comprendre son état d'esprit.

Exercices

1. *Mettez chaque infinitif au temps nécessaire; expliquez-en la raison et traduisez en anglais:*

1. Ils regrettent que je le (faire).
2. Nous voulons que vous (rester).
3. Le capitaine a demandé que le soldat (être) là.
4. Avez-vous peur qu'il (venir)?
5. Je m'étonne qu'il (avoir) raison.
6. Elle était contente que son frère lui (écrire).
7. Il aimerait qu'on (oublier) la chose.
8. Les gens souhaitent que la guerre (finir).
9. Je craignais qu'on ne le (voir).
10. Il se cache de peur qu'on ne (vouloir) le voir.
11. On n'acceptera jamais que cela (finir) ainsi.
12. Je m'étonne qu'il (faire) une faute.
13. Il voulait que je (comprendre) bien.

[1] Même emploi du **ne** explétif que pour **craindre;** voir la note à la page 58.

2. *Traduisez:*

1. Who regrets my leaving?
2. That child wants her mother to take her hand.
3. We would like you to be there.
4. Do you order her to do that?
5. Her work requires her to make important decisions.
6. He will not leave for fear she will follow him.
7. I'm so glad you have come down.
8. She fears the weather will not be good.
9. We hope he will take it.
10. He is afraid I am right.
11. Hold it so that I can read it.

3. *Mettez chaque infinitif au temps nécessaire; expliquez-en la raison et traduisez en anglais:*

1. Il fallait que je (partir).
2. Il importe que l'exemple (être) clair.
3. Il vaudrait mieux que je ne le (voir) pas.
4. Il n'est pas nécessaire que vous le (savoir).
5. Il ne faut pas qu'elle le (prendre).
6. Il vaut mieux que j'y (aller).
7. Parlez plus fort pour qu'on (pouvoir) vous entendre.
8. Faudrait-il que nous (lire) ce livre?
9. Elle craignait que je (danser) mal.
10. Il insistait pour que nous nous (parler) franchement.
11. Ne pensez-vous pas qu'il (avoir) lieu de se fâcher?
12. J'ai souvent souhaité qu'ils (venir) habiter ici.
13. Soyez assuré que je ne (dire) rien.
14. N'empêchez pas que nous (rire).

4. *Traduisez:*

1. I must leave soon.
2. Why is it necessary that he go with me?
3. I'm asking you to explain yourself.
4. He doesn't like to go out alone.
5. It would be better for her to see you.
6. I wish (*souhaiter*, au conditionnel) he would keep still.
7. It is better for you to write a letter.
8. We must do it.
9. He isn't afraid we will be late.
10. What do I care (*que m'importe*) if he goes away?

11. It is important that you return.
12. I am ashamed that you should have talked that way.
13. Take care he doesn't get away.

5. *Pour une dizaine de phrases des exercices 1 et 3 trouvez un moyen d'éviter le subjonctif.*

CHAPITRE XIV

Emploi de Certains Verbes

1. Faire + un infinitif: *to have something done, have (make) someone do something.*

Le participe passé de **faire** suivi d'un complément verbal est toujours invariable. (**Leçon** dans le premier exemple est complément de **lire.** Le pronom du 3e exemple est donc complément de **lire** et non pas du verbe **faire** = *I had [someone] read it.*)

Notez que si deux pronoms compléments précèdent le premier verbe celui qui indique par qui ou pour qui l'action est faite devient un complément indirect. En cas d'équivoque on peut également employer **par** ou **pour** suivi d'un pronom absolu.

Je fais lire la leçon.	I have the lesson read.
Je la fais lire.	I have it read.
Je l'ai fait lire.	I had it read.
Je fais lire la leçon à l'élève.	I have the lesson read to the student. / I have the student read the lesson.
Je fais lire la leçon par l'élève.	I have the lesson read by the student.
Je la fais lire par lui.	I have it read by him.
Je lui fais lire la leçon.	I have him read the lesson.
Je la lui fais lire.	I have him read it.
Je me suis fait faire un complet.	I had a suit made for myself.
Je me le suis fait faire.	I had it made for myself.

Je me le suis fait faire par le tailleur.	I had it made for myself by the tailor.
Je me le suis fait faire par lui.	I had him make it for me.
Je le lui ai fait faire pour moi.	I had him make it for me.
Je lui ai fait faire un complet.	I had a suit made for him. I had him make a suit.
Je le lui ai fait faire.	I had it made for him. I had him make it.
Je me suis fait gronder.	I got myself scolded.
Je les ai fait gronder.	I had them scolded.
Je l'ai fait sécher dehors.	I dried it outside.

2. **Entendre, laisser, voir** + un infinitif.

Au passé composé quand un complément direct précède un de ces verbes comme complément du deuxième verbe, le participe passé est invariable. Si le complément direct est le complément d'**entendre** (ou de **laisser** ou de **voir**), le participe passé s'accorde.

Notez encore que si deux pronoms compléments précèdent le premier verbe celui du premier verbe devient un complément indirect.

J'ai entendu raconter une histoire.	I heard (someone) tell a story.
Je l'ai entendu dire.	I heard it told.
Je la lui ai entendu dire.	I heard him (her) tell it. I heard it told to him (her).
J'ai entendu chanter une chanson.	I heard a song sung.
Je l'ai entendu chanter.	I heard it sung.
J'ai entendu la dame chanter une chanson.	I heard the lady sing a song.
Je l'ai entendue chanter une chanson.	I heard her sing a song.
Je la lui ai entendu chanter.	I heard her sing it. I heard it sung by her.

J'ai laissé les enfants se battre.	I let the children fight.
Je les ai laissés se battre.	I let them fight.
J'ai laissé battre les enfants.	I let the children be beaten.
Je les ai laissé battre.	I let them be beaten.

J'ai vu bâtir la maison.	I saw the house built.
Je l'ai vu bâtir.	I saw it built.
J'ai vu les bateaux couler.	I saw the ships sink.
Je les ai vus couler.	I saw them sink.
J'ai vu couler les bateaux.	I saw the ships sunk.
Je les ai vu couler.	I saw them sunk.

3. **Devoir:** to owe; have to, must, be supposed to

Obligation:

Il me doit de l'argent.	He owes me some money.
Il doit partir.	He has to leave. He must leave. He is to leave.
Il devait partir.	He was to leave.
Il a dû partir.	He had to leave.
Il devra partir.	He will have to leave.
Il devrait partir.	He ought to (should) leave.
Il aurait dû partir.	He ought to (should) have left.

Probabilité:

Il doit être malade.	He must be sick.
Il doit la connaître.	He must know her.
Il devait la connaître.	He probably knew her.
Il a dû la connaître.	He must have known her.
Il devrait la connaître.	He ought to (should) know her.

Accord du participe passé:

Les remercîments que je lui ai dus.	The thanks I owed him.
Les lettres que j'ai dû écrire.	The letters I had to write.

4. Vouloir: to want, wish, insist on

Il veut essayer.	He wants (wishes) to try.
Il voulait essayer.	He wanted to try (but did he?).
Il a voulu essayer.	He insisted on trying.
Je voudrais essayer.	I should like to try.
Il voudrait essayer.	He would like to try.
Il aurait voulu essayer.	He would have liked to try.
Il ne veut pas.	He won't (isn't willing to).
Il n'a pas voulu.	He refused to.
Il ne voulait pas.	He wouldn't (was unwilling to).
Il ne voudrait pas.	He wouldn't want to.

Accord du participe passé:

La maison que j'ai voulue.	The house I wanted (and got).
La maison que j'ai voulu faire bâtir.	The house I wanted to have built (and did).

5. Pouvoir: to be able, can, could, etc.

Je le peux.	I can.
Je pouvais.	I could (was able to).
J'ai pu le faire.	I was able to do it (and did). I may have done it.
Je pourrais le faire.	I could do it (should be able). I might do it.
Je ne peux pas.	I can't (am unable to).
Je ne pouvais pas.	I couldn't (was unable to).
Je n'ai pas pu.	I couldn't (was unable to, have not been able to).
Je ne pourrais pas.	I couldn't (should be unable to).
Je n'aurais pas pu.	I couldn't have (should have been unable to).
J'aurais pu le faire.	I could have done it (been able to do it). I might have done it.

Accord du participe passé:

Avez-vous traduit toutes les phrases que vous avez pu?	Did you translate all the sentences you were able (to)?

6. Falloir: be necessary, must, have to, need

Il faut rester.	It is necessary to stay. I, he, we, etc., must stay.
Il lui faut rester.	He (she) must, (has to) stay.
Il me faut du temps.	I need time.
Il leur faut des vêtements.	They need clothing.
Il ne faut pas rester.	You, he, etc., must not stay.

MAIS:

Il n'est pas nécessaire de rester.	It is not necessary to stay.

Exercices

1. *En suivant le modèle de* **1** *développez une série de phrases originales au présent de l'indicatif servant d'exemples de tous les genres de combinaisons possibles de verbes et de compléments.*

2. *En suivant le modèle de* **2** *développez une série de phrases originales au passé composé servant d'exemples de tous les genres de combinaisons possibles de verbes et de compléments.*

3. *Composez quatre phrases originales pour* **devoir** *et deux phrases originales pour* **pouvoir** *susceptibles chacune de deux sens différents et donnez-en les traductions.*

4. *Mettez la forme voulue du participe passé et traduisez:*

1. Il les a (voir) battre.
2. Les enfants que nous avons (entendre) crier.
3. Je les ai (laisser) partir.
4. Elle s'est (laisser) voler.
5. Les avez-vous (voir) entrer?
6. Les leur avez-vous (entendre) dire?
7. Elle s'en est (faire) faire deux.
8. En voilà une que j'ai (pouvoir) faire.
9. Celles que nous aurions (devoir) étudier.
10. Lesquels a-t-il (vouloir) emprunter?

5. *Traduisez:*

1. He had me do it.
2. You must have left yesterday.
3. I let her tell the story.
4. Have him write it.
5. She ought to be told.
6. We got ourselves caught.
7. They had to leave early.
8. I had them do it.
9. Weren't we supposed to accompany them?
10. She had one of them made for me.
11. I saw them arrested.
12. Oughtn't they to have answered?
13. I was probably absent-minded (*distrait*).
14. We had it built for ourselves.
15. He was probably mistaken (*se tromper*).

6. *Traduisez:*

1. She wouldn't say why.
2. Don't they need tickets?
3. They could have told us.
4. Wouldn't you have liked to go?
5. You mustn't be late.
6. They would like to know.
7. She may have been disappointed (*déçue*).
8. We wouldn't dare (*oser*) accept.
9. We might have helped them.
10. So I refused (*vouloir*).
11. It is impossible that he hasn't been able to work.
12. It isn't necessary to have tickets.
13. Couldn't we be sure?

Deuxième Partie

AUTRES PARTIES DU DISCOURS

CHAPITRE XV

Les Articles; le Partitif

LES ARTICLES

Les articles définis sont: **le, la, l', les,** *the*. En plus des usages communs à l'anglais et au français, ils s'emploient aussi:

1. Devant un nom qui exprime une idée générale ou une chose abstraite.

Les mères aiment les enfants.	Mothers (in general) love children (in general).
La vie est belle.	Life is lovely.

2. Devant les noms de pays.

La France est plus petite que la Russie.	France is smaller than Russia.
La Hollande est en Europe.	Holland is in Europe.

NOTE: **à le = au**, **à les = aux** } = to the   **de le = du**, **de les = des** } = of the, from the

Je pense à l'avenir.	**Le chapeau du garçon.**
Je pense au déjeuner, aux difficultés.	**Les chapeaux des garçons.**

3. Devant le nom d'un jour de semaine quand on désire signifier *each*.

le mardi, le dimanche	Each Tuesday, etc.
Nous le voyons le vendredi.	We see him Fridays.

MAIS:

Nous partirons dimanche.	We shall leave Sunday.
Il arrive lundi prochain.	He arrives next Monday.

Les articles indéfinis sont: **un, une, des,** *one, a, an, some* (au pluriel).

un livre	a book, one book
une table	a table, one table
des livres	some books

LE PARTITIF

Les formes du partitif sont: **du, de la, de l', des,** *some, any.* L'article partitif est l'expression d'un nombre ou d'une quantité indéfini, indéterminé, une partie de la somme totale possible. Remarquez que **des,** le pluriel de **un,** a un sens partitif.

du pain	(some) bread
de la viande	(some) meat
de l'argent	(some) money
des livres	(some) books

Le garçon a trouvé du travail.	The boy found (some) work.
Il y a de l'eau sur la table.	There is (some) water on the table.

MAIS:

Le pain est bon.	Bread (in general, all bread) is good.
La viande est nourissante.	Meat (in general, all meat) is nourishing.
L'argent ne fait pas le bonheur.	Money does not bring happiness.
Les hommes supportent mal la chaleur excessive.	Men (in general, all men) stand excessive heat (all excessive heat) badly.

L'eau de mer est mauvaise à boire. Sea water (all sea water) is bad to drink.

NOTE: **Du, de la, de l', des** servent aussi à exprimer la possession.

Les livres de la bibliothèque. The library books.
La femme du boulanger. The baker's wife.

Exercices

1. *Ajoutez l'article nécessaire:*

1. ________ Italie, ________ Espagne, ________ Norvège (*f.*), ________ Angleterre, ________ Belgique (*f.*), ________ Russie (*f.*), ________ Canada (*m.*), ________ Suisse (*f.*).
2. Nous allons à l'école ________ lundi, ________ mardi, ________ mercredi, ________ jeudi, ________ vendredi (*m.*).
3. On achète des provisions ________ samedi.
4. On écrit des lettres ________ dimanche.
5. ________ garçons sont plus grands que ________ filles.
6. ________ enfant aime ________ maison.
7. ________ mauvais temps arrive en hiver.
8. ________ eau coule vers ________ océan.
9. En France ________ jeudi est ________ jour libre des étudiants.
10. ________ Français aiment ________ France.
11. ________ Américains aiment ________ Amérique.
12. Ce sont ________ étudiants épatants!
13. Qu'est-ce qu' ________ allumette?

2. *Ajoutez la forme nécessaire du partitif:*

1. Il achète ________ café (*m.*), ________ oranges, ________ viande, ________ pain, ________ eau minérale.
2. Prenez ________ monnaie (*f.*) avec vous, et ________ billets.
3. Cet enfant a ________ intelligence et ________ diligence.
4. Voilà ________ pays intéressants.
5. Il écrit ________ lettres.
6. Nous prendrons ________ argent dans ________ sacs.
7. Ces enfants mangent ________ bananes.

8. Cette affaire demande ________ temps.
9. J'ai trouvé ________ amis à la maison.
10. On montre ________ affection au chien.
11. Ils ont ________ ennuis d'argent.

3. *Traduisez:*

1. There is meat and bread on the table.
2. I have money in my bag (*sac, m.*).
3. Buy books.
4. They eat oranges.
5. She has time.
6. We invite some friends to our house.
7. This child has intelligence.
8. They find water here.
9. I see Frenchmen and Americans.
10. These children want food (*nourriture, f.*).
11. Do you have troubles?

CHAPITRE XVI

Le Partitif sans Article

De ou **d'** sans l'article défini s'emploie pour exprimer le partitif:

1. Après les négations.

ne . . . pas no, not any	**ne . . . jamais** never, not ever
ne . . . point no, not any	**ne . . . guère** hardly, scarcely
ne . . . plus no more, not any more	**ne . . . rien** nothing, not anything

Il n'a pas de pain.	He has no bread.
Je n'ai guère d'amis.	I have hardly any friends.

NOTE: Après **ni . . . ni,** il n'y a ni préposition ni article.

2. Après un mot exprimant la quantité.

assez enough	**pas mal** quite a lot, a good deal
autant as much	**peu** few, little
beaucoup much, many, lots of	**un peu** a little
une bouteille a bottleful	**plein** full
combien how much, how many	**plus** more
un kilomètre a kilometer	**tant** so much
moins less	**trop** too much, too many
une page	**un verre** a glassful
une paire	etc.

J'ai beaucoup de livres.	I have many books.
Voici une page de français.	Here is a page of French.
Combien de gens voyez-vous?	How many people do you see?

Une bouchée de pain.	A mouthful (bite) of bread.
Deux mètres de toile.	Two meters of cloth.
Peu de temps.	Little time.
Peu de fois.	Few times.
Un peu de patience.	A little patience.

NOTE 1: **Quelques** (adj.) sert à exprimer *a few*.

Il a quelques bonnes idées.	He has a few good ideas.

NOTE 2: **De** + l'article défini est nécessaire après **bien** (dans le sens de **beaucoup** (*many*), **la plupart** (*the most*), **encore** (*some more*) et **ne . . . que** (*only*).

La plupart des élèves sont ici.	Most of the pupils are here.
Bien des familles.	Many families.
Encore du thé?	Some more tea?
Il n'y a que de l'eau!	Water's all there is!

NOTE 3: Après **sans,** le partitif s'exprime sans préposition et sans article.

3. Quand l'adjectif se place devant un nom au pluriel.

J'ai trouvé de beaux fruits au marché.	I found some fine fruit at the market.
Cette élève donne de bonnes réponses.	This pupil gives good replies.

MAIS:

C'est du bon café.	This is good coffee.
Voilà de la mauvaise graine.	Here is some bad seed.

(Pour les adjectifs qui d'ordinaire précèdent le nom, voir aux pages 124, 125.)

4. Quand un verbe ou une locution verbale a le régime prépositif avec **de,** ou quand un adjectif est suivi de la préposition **de.**

Il se servait de notes.	He was using notes.
Les granges regorgeaient de grain.	The barns were bursting with wheat.

Il mourait de faim.	He was dying of hunger.
Elle fut saisie d'angoisse.	She was seized with anguish.
Nous avons besoin d'amis.	We need friends.
Une maison remplie de fous.	A house full of crazy people.
Une voiture à sec d'essence.	A car out of gas.

MAIS: Quand il s'agit d'un objet particulier et non pas du partitif, on maintient l'article.

Il se servait des notes qu'il avait prises.	He was using the notes he had taken.
Nous avons besoin des amis que nous avons trouvés.	We need the friends we have found.

5. Dans certaines expressions idiomatiques. (Remarquez que dans tous les cas cités l'adjectif est invariable.)

Rien de bon, mauvais, etc.	Nothing good, bad, etc.
Personne d'intéressant.	No one interesting.
Quelque chose de stupide.	Something stupid.
Quelqu'un de perdu.	Some one lost.
Ce qu'il y a de beau . . .	What is beautiful . . .
Ce que vous avez dit de plus sensé . . .	The most sensible thing you said . . .

Exercices

1. *Conjuguez ces phrases:*

1. Je n'aurai plus de loisirs.
2. Je ne mangeais pas de viande.
3. Je n'ai point demandé d'argent.
4. Je ne prends jamais de poisson.
5. Je n'ai guère trouvé de monde.

2. *Traduisez:*

1. I haven't any money.
2. They have hardly any time to lose.
3. They won't eat any more bread.
4. He never found time to play!
5. We won't have any friends at all. (at all: *du tout*)
6. He was dying of boredom (*ennui*, m.).

3. *Conjuguez ces phrases:*

1. J'aurais trop d'ennuis.
2. J'achète peu de viande.
3. Je demande beaucoup de soins.
4. Je trouverai assez d'amis.
5. Combien de livres est-ce que j'ai vendus?

4. *Traduisez:*

1. There were few Americans here.
2. I shall have many ideas for the party.
3. She has less intelligence than (*que*) he.
4. Eat more bread.
5. He has had enough coffee.
6. Drink a glass of water.
7. Few people speak it well.
8. Buy many vegetables.
9. Here is a bottle of milk.
10. How much money does he need (*lui faut-il*)?
11. He has made a few friends.
12. Most books are stupid (*sot*).
13. So she gave him some more poison!
14. Have some more fish, won't you?
15. It was filled with water.

5. *Complétez les phrases:*

1. Voici ________ vieux arbres avec ________ belles branches.
2. Il faut trouver ________ nouveaux exemples.
3. Avez-vous ________ jeunes frères?
4. Nous mangeons ________ bonnes oranges.
5. ________ beau, ________ bon vin.
6. Il y a ici ________ grands garçons et ________ petites filles.
7. Elle a trouvé ________ autres choses à dire.
8. L'enfant écoutait ________ longues histoires.
9. Cette maison a ________ jolis appartements.
10. Il achètera ________ beaux livres.
11. Il avait reçu ________ mauvaises notes.
12. Elle a acheté ________ bon café.

6. *Traduisez:*

1. She has very beautiful children.
2. Buy milk, meat, vegetables.
3. He said something intelligent!
4. He has many friends, but little time.
5. Shall we write letters today?
6. There is only water.
7. Have you had enough?

8. She asks for new dresses.
9. Put some money in your bag.
10. There are too many people (*gens*) in the streets to go now.
11. Buy me some more paper.
12. I never see anything interesting.

7. *Ajoutez la forme du partitif qu'il faut:*

1. Je mange trop ________ viande et beaucoup ________ légumes.
2. Y a-t-il ________ eau ici?
3. Il achètera ________ café, ________ pommes, ________ viande, ________ pain.
4. Avez-vous assez ________ couvertures?
5. Il n'y a rien ________ amusant à voir.
6. Elle y trouve peu ________ amis mais ________ personnes intéressantes.
7. Prenez ________ monnaie avec vous.
8. Buvez un verre ________ eau, mais pas ________ lait.
9. Combien ________ excuses trouve-t-il?
10. Voilà une bouteille ________ lait.

8. *Écrivez cinq phrases originales avec* **ne . . . que,** *et traduisez-les en anglais.*

9. *Écrivez cinq phrases originales avec* **rien de, . . .** *et traduisez-les en anglais.*

10. *Écrivez cinq phrases originales avec* **quelque chose de, . . .** *et traduisez-les en anglais.*

CHAPITRE XVII

Pronoms Personnels Compléments

Pronoms Personnels Compléments Directs du Verbe	Pronoms Personnels Compléments Indirects du Verbe	Pronoms Personnels Réfléchis, Compléments Directs ou Indirects du Verbe[1]	Pronoms Personnels Absolus
me, m' *me*	**me, m'** *to me*	**me, m'** *myself, to myself*	**moi**
te, t' *you* (familier)	**te, t'** *to you* (familier)	**te, t'** *yourself, to yourself* (familier)	**toi**
le, l' *him, it* **la, l'** *her, it*	**lui** *to him, to her*	**se, s'** *himself, herself, itself, to himself*, etc.	**lui** **elle**
nous *us*	**nous** *to us*	**nous** *ourselves, to ourselves*	**nous**
vous *you*, s. et pl.	**vous** *to you*, s. et pl.	**vous** *yourself, yourselves, to yourself, to yourselves*	**vous**
les *them*	**leur** *to them*	**se, s'** *themselves, to themselves, to each other.*	**eux** **elles**

[1] Voyez le chapitre sur les verbes refléchis.

NOTE: En français, les pronoms compléments indirects remplacent la préposition **à** et un nom représentant une personne.

Je parle à mon frère. Je lui parle.	I speak to him.

1. Les pronoms personnels compléments directs ou indirects du verbe se placent immédiatement devant le verbe, que la phrase soit affirmative, négative, interrogative, ou interrogative-négative. Une seule exception: l'impératif affirmatif, où les pronoms compléments se placent après le verbe.

Je la vois.	I see her.
Ne lui parle-t-il pas?	Doesn't he speak to her?

MAIS:

Cherchez-le chez vous.	Look for it at your house.

2. Avec un pronom complément direct et indirect dans la même phrase, voici l'ordre:

me **te** **se** **nous** **vous**	devant	**le** **la** **les**	devant	**lui** **leur**	devant **y** devant **en** devant **verbe.**

NOTE: Pour le sens de **y** et **en,** voyez le chapitre suivant.

Je vous la montrerai.	I shall show her to you.
Le lui donne-t-il?	Does he give it to him?
Il ne le lui donne pas.	He does not give it to her.
Ne le lui donne-t-il pas?	Doesn't he give it to him?
Il y en a.	There is (are) some.
Y en a-t-il?	Is (are) there some (any)?
N'y en a-t-il pas?	Isn't (aren't) there some (any)?
Nous l'y avons vu.	We saw him there.
Je lui en parlerai.	I'll speak to him (to her) about it.
Elles s'y retrouvent.	They see each other there.

NOTE : Quand le complément direct est **me, te, se, nous** ou **vous,** le complément indirect s'exprime par **à** et un pronom absolu.

Il m'a présenté à elle.	He introduced me to her.
Elle s'en est rapportée à lui.	She left it up to him.

3. Avec l'impératif affirmatif, voici l'ordre des deux compléments: **Impératif affirmatif + complément direct + complément indirect + y + en.**

a. Les pronoms compléments s'attachent à l'impératif affirmatif par des traits d'union.

b. **Moi** et **toi** remplacent **me** et **te** excepté devant **y** ou **en.**

c. Le **s** de la 2e personne du singulier de la 1e conjugaison et de quelques verbes irréguliers est maintenu devant **y** et **en.**

Dites-la-moi.	Tell it to me.	MAIS: **Ne me la dites pas.**
Ecrivez-le-lui.	Write it to him (to her).	**Ne le lui écrivez pas.**
Envoyez-le-nous.	Send it to us.	**Ne nous l'envoyez pas.**
Donnez-m'en.	Give me some.	**Ne m'en donnez pas.**
Donnes-en à ma sœur.	Give some to my sister.	**N'en donne pas à ma sœur.**
Vas-y.	Go ahead.	**N'y va pas.**
Couvres-en la moitié.	Cover up half (of it, them).	**N'en couvre pas la moitié.**

Les pronoms personnels absolus sont employés:

1. Après une préposition.

J'irai avec eux, sans lui.	I shall go with them, without him.

2. Après **c'est** et **ce sont.**

C'est moi.	It is I.	**C'est nous.**	It is we.
C'est toi.	It is you.	**C'est vous.**	It is you.
C'est lui, elle.	It is he, she.	**Ce sont eux, elles.**	It is they.

3. Seuls, sans verbe.

Qui est là? Moi.	Who is there? I.

4. Pour la répétition d'insistance.

Il a des livres, lui; mais moi je n'en ai pas.	*He* has books, but *I* have none.

5. Quand le sujet ou le complément du verbe se compose de deux pronoms ou d'un substantif et d'un pronom.

Elle et lui se sont chamaillés.	She (he) had a tiff with him (her).
Ma femme et moi sommes restés interdits.	My wife and I were speechless.
Parlons-en à lui et à son frère.	Let's talk to him and his brother about it.

NOTE 1 : **Même** (*self*) peut s'attacher à ces pronoms.
moi-même, *myself*; **nous-mêmes,** etc.

NOTE 2 : **Soi,** troisième personne, s'emploie après un pronom indéfini, comme **on, tout le monde, nul, personne,** etc., ou après un verbe impersonnel comme **il faut,** etc.

On va chez soi.	One goes to one's home.
Il ne faut pas parler de soi.	One should not talk about oneself.

Exercices

1. *Employant le rythme* **me le, me la, me les,** *etc., pour les pronoms compléments du verbe, donnez chaque phrase avec toutes les combinaisons de pronoms compléments.*

Ex. il me le donne, il me la donne, il me les donne, il te le donne, etc.

1. elle me l'écrit
2. on me le cherche
3. il me l'envoie
4. ils me le demandent
5. on me l'a donné

2. *Répétez l'exercice 1 négativement, pour toutes les combinaisons de pronoms.*

3. *Placez les pronoms compléments correctement dans chaque phrase:*

1. Il a écrit (lui, le).
2. J'ai donné (le, vous).
3. Elle enverra (la, nous).
4. Vous dites (leur, le).
5. Montrez (le, me).
6. Présentez (nous, lui).
7. Présentez (nous, le).
8. Il faut dire (nous, le).
9. Dites (le, nous).
10. Je n'ai pas donnés (leur, les).
11. Ne demandez pas (lui, les).
12. N'écrivez pas (lui, la).

4. *Répétez l'exercice 3 en mettant au négatif les phrases affirmatives, et à l'affirmatif les phrases négatives.*

5. *Remplacez par un pronom les compléments directs et indirects en italiques, et expliquez votre choix:*

1. Je donne *mon chapeau à la jeune fille.*
2. Ecrivez *une lettre à vos frères.*
3. Elle m'a fait *une suggestion.*
4. Elle vous donnera *sa lettre.*
5. On recevra *vos paquets.*
6. Vous ne donniez pas *vos fleurs aux soldats.*
7. Je ne vous conseillerais pas *le voyage.*
8. Nous envoie-t-on *un plan?*
9. Ne demandez jamais *de conseils à cet homme-là.*
10. J'ai demandé *à l'élève* son excuse.

6. *Traduisez:*

1. I shall show it to her.
2. Tell it to me.
3. Send them to him.
4. Do not tell it to me.
5. He asked him for it.
6. They bought it for me.
7. He will bring them to you.
8. Did he give them to you?
9. He won't ask me for it.
10. Has he written them to us?
11. Introduce us to him.

7. *Remplacez le pronom* **moi** *par toutes les autres personnes du pronom absolu:*

1. C'est moi qui ai parlé.
2. Il viendra chez moi.
3. On y va sans moi.
4. Ce n'est pas moi qui suis malade.
5. On n'a pas parlé de moi.
6. Moi, j'avais raison.

8. *Remplacez le tiret par un pronom personnel absolu:*

1. Il n'est pas raisonnable ________-même.
2. Qui a frappé à la porte? ________.
3. C'est ________ qui ai répondu.
4. Ce ne sont pas ________ qui viennent.
5. ________-mêmes, nous y allons.
6. Quant à ________, elle était malade.
7. Personne n'a parlé de ________.
8. Il le fera pour ________.
9. Je pensais à ________.
10. C'est ________ qui aura raison, ce ne sera pas ________.

9. *Traduisez:*

1. I am going home.
2. He did it for me.
3. They are going home.
4. As for (*quant à*) them, they have accepted the invitation.
5. I cannot go without him.
6. Think of him, not (*pas*) of yourself.
7. Patience is a good thing in itself.
8. Who will speak? He, then I.
9. It was I who was afraid.
10. He will give it to her himself.

CHAPITRE XVIII

Les Pronoms y, en, le, on

Y

Y remplace **à, dans, chez, sous,** etc., et un complément, si ce complément représente un lieu, un objet, une idée. **Y** ne s'emploie pas en parlant de personnes.

Je vais à Paris.	**J'y vais.**	I'm going there.
Il entre dans la maison.	**Il y entre.**	He enters (it), goes in.
Mon livre est sur la table.	**Mon livre y est.**	My book is there.
Je n'ai pas pensé à cette difficulté.	**Je n'y ai pas pensé.**	I didn't think of it.
Elle s'attend à le voir.	**Elle s'y attend.**	She is expecting to.

EN

1. **En** remplace la préposition **de** et un complément à la troisième personne, en parlant de choses. En parlant de personnes **en** s'emploie seulement dans un sens partitif; autrement on dit d'ordinaire **de lui, d'elle, d'eux, d'elles.**

Avez-vous des fleurs?	**Nous en avons.**	We have some.
A-t-il parlé de cela?	**Il en a parlé.**	He has spoken about it.

Voyez-vous des gens?	**J'en vois.**	I see some.
Je parlais de Jean.	**Je parlais de lui.**	I was speaking of him.
Elle se sert de mon vélo.	**Elle s'en sert.**	She uses it.

2. En est obligatoire quand un adjectif, un adjectif numéral ou un adverbe de quantité est employé sans substantif, ou quand une locution adjectivale commençant par **de** est supprimée après un substantif.

J'avais de belles idées.	**J'en avais de belles.**	I had fine ones.
J'ai trois examens.	**J'en ai trois.**	I have three of them.
Avez-vous assez de papier?	**En avez-vous assez?**	Have you enough?
Il a pris l'habitude de se taire.	**Il en a pris l'habitude.**	He's gotten used to it.
Il est plein d'eau.	**Il en est plein.**	It is full of it. (!)

MAIS:

Je me souviens de votre frère.	**Je me souviens de lui.**	I remember him.

NOTE: Pour la position de **en** voir les sections 2 et 3 du chapitre précédent. Voyez aussi le premier exemple, p. 134.

3. Le participe passé d'un verbe dont **en** est le complément est invariable.

Combien en avez-vous vu?	How many did you see?
J'en ai vu trois.	I saw three (of them).

LE

Le, pronom complément neutre, est invariable et remplace un adjectif, un substantif, une proposition ou une phrase entière pour éviter une répétition.

Il paraît courageux, mais l'est-il vraiment?	He appears courageous, but is he really?
Est-il digne de foi? Je le crois.	Is he trustworthy? I believe so.
Je vous aiderai, je le jure.	I shall help you, I swear (it).
Sont-ils médecins? Ils le sont.	Are they doctors? They are.

NOTE : Quand le pronom représente une personne ou des personnes particulières on emploie **le, la, les.**

Êtes-vous sa fille? Je la suis.	Are you his daughter? I am.
Êtes-vous les propriétaires de l'établissement? Nous les sommes.	Are you the proprietors of the establishment? We are.

ON

1. On, 3e personne singulier, sert de sujet:

a. Quand l'identité de l'auteur d'une action est sans importance ou quand l'action se fait communément. Dans ces cas **on** se traduit par les pronoms ou mots indéfinis anglais *one*, *you*, *we*, *they*, *people*, etc., ou par une locution passive.

On fait ce qu'on veut.	One does what one pleases.
On entend tout le monde dire cela.	You hear everyone say that.
On trouve cela dans un bureau de tabac.	You find that in a tobacco shop.
On les vend sur les quais.	They are sold on the platform.
L'anglais qu'on y parle est quelque chose.	The English they speak (that is spoken) there is something.

b. Par extension de l'emploi cité ci-dessus même quand l'identité de l'auteur de l'action est connue: *I*, *you*, *he*, *she*, *we*, *they*.

Mais on vous l'a déjà expliqué!	But I've already explained it to you!
Alors on part demain?	So we (you, they) leave tomorrow?

Tiens! on veut faire l'innocent.	So, you're pretending to be innocent.
On est copains depuis longtemps.	We (you, they) have been buddies for a long time.

NOTE: **L'** peut être employé avec **on** pour éviter un hiatus ou un son désagréable.

Sait-elle où l'on se retrouvera?	Does she know where we'll meet?
Que voulez-vous que l'on dise?	What would you have us say?

2. **Vous** (*you*) et **se** (*oneself, yourself, yourselves, himself, herself, themselves, one another*, etc.) correspondent à **on** comme pronoms compléments directs, indirects ou réfléchis.

On vous le dira aux renseignements.	They'll tell you that at the information desk.
On se croit si prévoyant.	One thinks oneself (you think yourself, etc.) so foresighted.
On se voyait tous les jours.	We (you, they) saw one another every day.
On se demande pourquoi.	One wonders why.

NOTE: **Soi,** pronom absolu, remplace **se** après une préposition, et s'emploie aussi devant **même**.

On pense à soi.	One thinks of oneself.
On le fait soi-même.	One does it oneself.

3. Les formes de la 3e personne du singulier de l'adjectif possessif et du pronom possessif correspondent à **on.**

On fait son devoir.	One does his duty. (I do my duty, etc.)
On fait des siens ce qu'on veut.	One does what he will with his own.

Exercices

1. *Remplacez la préposition et son complément par* **y,** *correctement placé dans chaque phrase:*

1. Je vais chez moi.

2. Nous avons pensé à votre problème.
3. Entrez dans cette boutique.
4. Voudriez-vous aller en France?
5. Vous trouverez un machin sous la table.
6. Il a passé la nuit à l'hôtel.
7. Je suis tombé dans la rue.
8. Cherchez dans mon bureau.
9. Nous pourrions passer une heure chez vous.
10. Il va manger au restaurant.
11. Il voudrait rester aux Etats-Unis.
12. Allez au Canada.

2. *Répétez toutes les phrases de l'exercice* 1 *au négatif en employant* **y** *au lieu de la préposition et son complément.*

3. *Remplacez* **de** *et son complément par* **en:**

1. Je mangeais du pain.
2. Le restaurant ne sert que de la bonne viande.
3. Le soldat n'avait plus d'argent.
4. Les enfants boivent du lait.
5. Achetez-lui des fleurs.
6. La salle est pleine de gens.
7. Vous avez trouvé de jolis fruits au marché.
8. Il y aurait trop de fautes.
9. Ne m'apportez plus de travail.
10. Reste-t-il de l'argent?
11. Y a-t-il des provisions chez moi?

4. *Répondez à chaque question en employant* **en** *au lieu de* **de** *et son complément:*

1. Possède-t-il de l'argent?
2. Vos enfants prennent-ils du café?
3. Cherchez-vous des camarades?
4. Achèterez-vous du beurre aujourd'hui?
5. Êtes-vous sûr de cela?
6. Est-ce que les femmes porteront des bouquets?
7. Le soldat lui demande-t-il des informations?
8. Y prendrons-nous des nouvelles?
9. Combien y a-t-il d'enfants dans votre famille?

5. *Traduisez:*

1. I have some here.
2. He hasn't any.
3. We have enough.

4. Had you many of them?
5. There will be some in the house.
6. There weren't any in the house.
7. I remember her.
8. Are there some elsewhere?
9. The lieutenant has six soldiers, I have four.
10. How many has the captain?
11. Does he have the courage (to do it)?
12. Had you many others?
13. We are very glad of it.
14. Yes, we had several (*plusieurs*).
15. Are they talking about her?
16. He was talking about it seriously.
17. He is cured of (*guérir de*) it now.

6. *Traduisez:*

1. She is here and so are the others.
2. We are tired and they must be also.
3. Is it easy? I hope so.
4. I shall return immediately, if you wish.
5. Are you his daughter? I am.
6. He said so right away.

7. *Traduisez:*

1. One is very comfortable (*bien*) there.
2. They only give you vague answers.
3. They can be bought on (*dans*) the train.
4. One can sometimes (*quelquefois*) be mistaken.
5. And we've been such good friends.
6. One brings his own (*propre*) lunch (*déjeuner*, m.).
7. Someone is asking to see you.
8. That was done without much effort.
9. You get (*prendre*) your ticket at the station.
10. They throw things at you if you go over there (*là-bas*).
11. One can't be too careful (*faire attention*).

CHAPITRE XIX

Pronoms Relatifs

1. Les pronoms relatifs sont:

1. **qui**
2. **que**
3. **lequel, laquelle lesquels, lesquelles**
4. **dont**
5. **où**
6. **quoi**

Un pronom relatif doit être précédé immédiatement d'un nom ou d'un pronom qui s'appelle l'antécédent du relatif. S'il n'y a pas d'antécédent dans la phrase, il faut ajouter l'antécédent **ce** (*this, that*), devant **qui, que, dont.**

Je vois ce qui se passe. — I see what (that which) is happening.

TABLEAU DE L'EMPLOI DES PRONOMS RELATIFS

Antécédent	Personne	Chose	Indéterminé
Sujet	**qui**	**qui**	**ce qui**
Complément	**que**	**que**	**ce que**
Complément d'une préposition	**qui, lequel,** etc. **(dont)**[1]	**lequel,** etc. **(dont, où)**[1]	**(ce dont)**[1] **(ce)**[1] . . . **quoi**

[1] Voir **dont, où, ce dont, ce . . . quoi** dans les listes ci-dessous.

2. La préposition **de,** avec **lequel,** etc. (*of which, of whom*), donne:

duquel	(m. s.)	**desquels**	(m. pl.)
de laquelle	(f. s.)	**desquelles**	(f. pl.)

3. La préposition **à** avec **lequel,** etc. (*to which, to whom*) donne:

auquel	(m. s.)	**auxquels**	(m. pl.)
à laquelle	(f. s.)	**auxquelles**	(f. pl.)

PHRASE AVEC ANTÉCÉDENT

Qui: **1.** Sujet du verbe.

Je cherche l'homme qui demeure ici.	I'm looking for the man who lives here.
Regardez le livre qui est ouvert.	Look at the book which (that) is open.

2. Complément d'une préposition, pour une personne exclusivement (voir **Lequel,** ci-dessous).

Je ne connais pas le garçon à qui elle parle.	I don't know the boy to whom she's talking.
C'est la femme chez qui je travaille.	That's the woman at whose house I work.

Que: Complément du verbe.

Voilà le livre que vous cherchez.	There's the book (that) you're looking for.
Voici l'enfant qu'il aime.	Here's the child (whom) he loves.
C'est elle que je vois.	It's she whom I see.

Lequel, etc.: Complément d'une préposition, pour une personne ou une chose. Ce pronom remplace **qui** quand il est utile d'indiquer le genre.

M. Dupont et sa femme, pour laquelle vous avez une lettre.	Mr. Dupont and his wife for whom you have a letter.
Voici la maison à laquelle je vais.	Here is the house to which I am going.
Où est le chemin duquel vous parliez?	Where is the path you were talking about?

Dont: Remplace **de** et son complément relatif. Notez que *whose* et *of whom* se rendent en français par **de qui** ou **dont** et que la phrase française a le même ordre que la phrase anglaise avec *of whom* (voir le 3e exemple).

Il regarde celle dont (ou **de qui**) **je parle.**	He's looking at the one of whom I'm talking.
Voilà la chose dont j'ai envie.	There's the thing I want.
La demoiselle dont vous tenez le manteau . . .	The girl whose coat you're holding . . .

NOTE: **Dont** ne peut pas remplacer **de qui, duquel, de laquelle, desquels, desquelles** si ces mots suivent un substantif qui a un rapport de possession avec un antécédent et qui est lui-même le complément d'une préposition.

C'est la dame avec la fille de qui j'ai causé.	She is the lady with whose daughter I talked.
Voilà le médecin à la maison duquel on m'envoyait.	There is the doctor to whose house I was being sent.
Je vois le monsieur de l'histoire de qui (duquel) nous doutions.	I see the man whose story we doubted.

Où: Peut remplacer **à, en, dans, sur, sous + lequel** pour exprimer une idée de lieu ou de temps.

La maison où je suis né.	The house where I was born.
Le chenil d'où il sort.	The doghouse from which he comes.
Le mois où je partirai.	The month I leave.

PHRASE SANS ANTÉCÉDENT

Ce qui: Sujet du verbe.

Je cherche ce qui est juste.	I'm looking for what is fair.

Ce que: Complément du verbe.

Prenez ce que vous voudrez.	Take what you want.

Quoi: Complément d'une préposition, quand il s'agit d'une chose indéterminée. **Quoi** introduit une proposition relative servant de complément au verbe principal.

Elle a acheté de quoi faire une robe.	She bought something with which to make a dress.
Je ne dirai pas de quoi nous parlions.	I won't say what we were talking about.
Vous ne devinez pas à quoi je pense?	You don't guess what I am thinking about?
Je vois en quoi il est suspect.	I see on what score he is to be suspected.

Ce dont: Fait partie d'une proposition relative qui est le sujet ou complément du verbe principal.

Je ne trouve pas ce dont j'ai besoin.	I don't find what I need (that of which I have need).
Ce dont vous parlez est introuvable.	What you're talking about can't be found.

Ce (à, de, en, avec, etc.) **quoi:** Fait partie d'une proposition relative qui est le sujet du verbe principal.

Ce à quoi je pense ne vous regarde pas.	What I am thinking about doesn't concern you.
Ce en quoi je le blâme c'est d'être têtu.	What I blame him for is being stubborn.

Exercices

1. *Répétez les phrases suivantes en mettant chaque verbe qui est à la première personne du singulier à toutes les personnes:*

1. J'ai demandé le garçon qui était malade.
2. J'ai le livre que vous voulez.
3. Je chercherai ce qui est possible.
4. Je ne vois pas ce que vous voulez.
5. Suis-je l'enfant dont il parle?
6. J'ai bien regardé la rue où il fallait passer.

2. *Ajoutez le pronom relatif qui complète le sens:*

a.
1. L'enfant _______ est ici est à moi.
2. La maison dans _______ il demeure est grande. (2 formes)
3. Le cadeau est pour celle de _______ je suis amoureux.
4. La lettre de _______ vous avez besoin n'arrive pas. (2 formes)
5. Le thème _______ vous voyez là n'est pas fini.
6. Je ne vois pas _______ cela peut avoir d'intéressant.
7. Voilà _______ j'ai trouvé.
8. Il ne sait pas _______ il va.
9. L'homme à _______ j'ai acheté l'automobile est mon frère.
10. Prenez le livre _______ vous voulez.

b.
1. Voici l'école à _______ il va chaque jour. (2 formes)
2. Cet enfant _______ est malade a été très brave.
3. Celui à _______ je l'ai donné n'est pas ici.
4. Voici de _______ écrire.
5. Cherchez le livre _______ vous voudrez.

6. Faites ________ vous voudrez.
7. Avez-vous le remède de ________ j'ai besoin? (2 formes)
8. Voilà le restaurant ________ nous allons.
9. L'hôtel de ________ vous parlez n'existe plus. (2 formes)
10. Trouvez-moi ________ il me faut.

3. *Traduisez:*

1. Here is the book in which we are reading.
2. The person of whom I speak has left.
3. I found a house we liked.
4. The woman of whom I speak is French.
5. This is what is fair (*juste*).
6. The play (*pièce*, f.) which he wrote is not good.
7. There is the teacher in whose class I found myself.
8. Take what you wish.
9. I shall go to the city where I was born.
10. He doesn't know what you're talking about.
11. He is the one to whose house we are invited.
12. Give me the book he wishes to read.
13. He doesn't understand what she wants of him.
14. What he talked about wasn't at all interesting.
15. What you are thinking about will never happen.

CHAPITRE XX

Adjectifs et Pronoms Démonstratifs

ADJECTIFS DÉMONSTRATIFS

1. Les adjectifs démonstratifs sont:

M. S.	F. S.	M. et F. Pl.
ce, cet this, that	**cette** this, that	**ces** these, those

2. L'adjectif démonstratif se place devant le nom qu'il qualifie et s'accorde avec lui en genre et en nombre. L'adjectif démonstratif doit se répéter devant chaque nom qu'il qualifie.

Cet, masculin singulier, s'emploie devant un nom masculin et singulier qui commence par une voyelle ou un **h** muet. Aussi il y a une liaison entre le **t** final de **cet** et le mot qui le suit.

ce garçon this, that boy	MAIS: **cet homme**
ce livre this, that book	**cet enfant**
ce soir this evening, tonight	**cet intérêt**
cette mère this, that mother	**cet arbre**
cette nuit last night	
ces enfants these, those children	
ces pères these, those fathers	

3. **Ci** et **là** s'attachent au nom après l'adjectif démonstratif par un trait d'union pour distinguer entre ce qui est proche et ce qui est loin.

cet appartement-ci; cette maison-là	this apartment; that house
ces enfants-ci; ces livres-là	these children; those books
ce soir-là	that evening
cette nuit-là	that night

PRONOMS DÉMONSTRATIFS

1. Les pronoms démonstratifs invariables **ce, ceci, cela** se rapportent à un antécédent dont le genre et le nombre ne sont pas déterminés, c'est-à-dire, à un groupe de mots, à une idée non encore précisée ou à un objet pas encore nommé.

a. **Ce** (*this*, *that*, *it*) s'emploie devant:

1. **être** (3e personne)
2. **qui** (= sujet du verbe)
3. **que** (= complément du verbe)
4. **quoi** (précédé d'une préposition)
5. **dont** (**de** + pronom relatif, complément du verbe)

NOTE: Pour l'emploi de **ce** devant **être** voir le chapitre suivant.

C'est vrai. C'était elle.	It's true. It was she.
Regardez ce qui est ici.	Look at what is here.
Ce que vous dites est vrai.	What you say is true.
C'est ce que je veux dire.	That's what I mean.
Voilà ce dont j'ai besoin.	That's what I need.
Ce à quoi vous faites allusion n'est jamais arrivé.	What you are alluding to never happened.

b. **Ceci** (*this*), **cela** (*that*), s'emploient dans toute autre circonstance:

Je garde ceci, vous prendrez cela.	I'm keeping this, you'll take that.
Cela me semble bon.	That seems good to me.
Qu'est-ce que c'est que cela?	What is that?

2. Les pronoms démonstratifs ayant un antécédent précis, par conséquent variables de forme, sont:

M. S.	F. S.	M. Pl.	F. Pl.
celui this one, that one, the one	**celle** this one, that one, the one	**ceux** these, those, the ones	**celles** these, those, the ones

Le pronom démonstratif variable remplace un nom ou un pronom défini dont il prend le genre et le nombre. Il s'emploie devant

1. **-ci** ou **-là**
2. un pronom relatif
3. une préposition.

Celui-ci est bon, celui-là est mauvais.	This one is good, that one is bad.
Celle qui reste est ma cousine.	The one who stays is my cousin.
Ceux que vous voyez sont excellents.	Those (the ones) that you see are fine.
Celui dont je parle est malade.	The one I'm speaking of is ill. (He of whom I'm speaking is ill.)
Celles de mon ami sont amusantes.	These (those) of my friend are amusing.
Voyez celle au mur.	See the one on the wall.
Ma théorie est plus séduisante que celle du professeur.	My theory is more appealing than the professor's.

NOTE: **-ci** et **-là** servent à traduire *latter* et *former:*

Mon frère et sa femme sont partis mais celle-ci est revenue.	My brother and his wife left but the latter has returned.

Exercices

1. *Ajoutez la forme voulue de l'adjectif démonstratif devant chaque nom:*

maison (*f.*) année (*f.*)

jardin (*m.*)	an (*m.*)
hôpital (*m.*)	chapeaux
tables	rues
adjectif (*m.*)	arbre (*m.*)

2. *Répétez au singulier:*

ces villes (*f.*)	ces personnes (*f.*)
ces hommes	ces accidents (*m.*)
ces arbres (*m.*)	ces rues (*f.*)
ces messieurs	ces enfants
tous ces livres	ces professeurs (*m.*)

3. *Remplacez le tiret par un pronom démonstratif:*

1. Je n'aime pas cette table; montrez-moi alors ——— qui est derrière vous.
2. Ne lui donnez pas ce chapeau-ci, mais ———.
3. Nous avons invité ses enfants et ——— de sa sœur.
4. Je n'ai pas dit ———.
5. ——— sont eux qui arrivent.
6. Montez toutes ces chaises-ci, et je monte ———.
7. Si vous avez besoin d'un dictionnaire, prenez ——— à la bibliothèque.
8. ——— qu'il dit est intéressant.
9. ——— à qui je parle est mon frère.
10. Je ne comprends pas ———.

4. *Traduisez:*

1. This tree is tall, that one is small.
2. Give me that, please.
3. Those who know him believe what he says.
4. I like these flowers, but he likes the ones in the garden.
5. Don't look at this!
6. This is possible.
7. It is I who am ill.
8. It is not he who wishes this.
9. My chair is the one next to the window.
10. He had forgotten that it was here.

5. *Traduisez:*

1. Take what you wish.
2. Here is what is necessary.
3. Take her hat and that of her mother.

4. I'll give you this for that.
5. It isn't funny.
6. Those who work are happy.
7. The one of whom I speak is absent.
8. I see the one he needs.
9. Have you spoken to the one who is guilty (*coupable*)?
10. Of the two sisters, the latter is Marie, the former is Jeanne.

6. *Remplacez* **moi** *par les autres formes du pronom personnel et faites accorder le verbe:*

1. C'est moi qui parle.
2. C'est moi qui entre.
3. C'est moi que vous voyez.

CHAPITRE XXI

Ce *et* **il,** *Sujets du Verbe* **être**

1. Il invariable s'emploie devant **être** au lieu de **ce:**

a. Quand le vrai sujet se place après le verbe **être.**

Il est important que vous arriviez à l'heure. (= Que vous arriviez à l'heure est important.)	It is important that you arrive on time. (That you arrive on time is important.)
Il est probable que nous aurons des nouvelles. (= Que nous aurons des nouvelles est probable.)	It is probable we shall have news. (That we shall have news is probable.)
Il est facile de comprendre cela. (= Comprendre cela est facile.)	It is easy to understand that. (To understand that is easy.)

MAIS:

Pourquoi est-il parti? C'est facile à comprendre. (Le pronom **ce** se rapporte à un groupe de mots qui précède.)	Why did he leave? That's easy to understand.

b. Pour dire l'heure.

Il est midi.	It is noon.
Il est trois heures précises.	It is exactly three o'clock.

2. Il, elle, ils, elles s'emploient devant **être:**

a. Pour représenter un nom défini et antérieur avec lequel le pronom s'accorde en genre et en nombre.

(les hommes) **Ils sont libres.**	They are free.
(la carte) **Elle est perdue.**	It is lost.

(votre frère) **Il est ridicule.**	He is ridiculous.
(votre chapeau) **Il est ridicule.**	It is ridiculous.

Mais:

(ce que vous dites) **C'est ridicule.**	It's (that's) ridiculous.

b. Quand le complément d'**être** est un nom indéterminé. Les noms qui dénotent la nationalité, la religion, la profession, le métier ou parfois d'autres classes générales peuvent s'employer sans déterminatif.

Il est Russe.	He is Russian.
Elle est Américaine.	She is American.
Il était boucher.	He was a butcher.
Ils sont tous médecins.	They are all doctors.
Elle sera journaliste.	She will be a reporter.

Mais: Si le nom de nationalité, profession, etc., est précédé d'un déterminatif (article, adjectif possessif, etc.) on emploie **ce**.

C'est un Russe.	He is a Russian.
C'était mon boucher.	He was my butcher.
C'est une belle Parisienne.	She is a beautiful Parisian.
Ce seront des journalistes.[1]	They will be reporters.

3. Ce s'emploie devant **être** et **devoir être** dans tous les autres cas.

C'est Marie.	It is Mary.
C'est toi, Martin?	Is that you, Martin?
Ce sont mes amis.[1]	They are my friends.
C'est moi qui l'ai fait.	It is I who did it.
C'est comme ça qu'il est sorti.	That's how he went out.
C'est bon, chic, beau, etc.[2]	It is good, grand, beautiful, etc.
C'est bien, ce que vous dites.	That's good, what you are saying.

[1] Le verbe est au pluriel pour la 3e personne du pluriel.

[2] L'adjectif après **ce** est invariable.

C'est celui dont je parlais.	That's the one I was speaking of.
Ce devait être elle.	It (That) was probably she.
C'est à moi de jouer.	It is my turn to play.
C'est ici. C'est là-bas.	It's here. It's over there.
C'est ce que je disais.	That's what I was saying.
Alors, c'est oui?	Then it's yes?
C'est qu'il est bête.	It is because he is stupid.

NOTE: **Ce + être** sert aussi à mettre en relief une partie de la phrase.

Phrase avec Relief	Phrase Normale
C'est à vous que je dois cela.	**Je vous dois cela.**
C'est là que nous irons.	**Nous irons là.**
C'est en travaillant qu'on trouve le bonheur.	**On trouve le bonheur en travaillant.**
C'était Jean qui me l'avait dit.	**Jean me l'avait dit.**
C'est le temps qui me manque, pas l'argent.	**Le temps me manque, pas l'argent.**

4. Cela (ça, familier) sert de sujet à tout autre verbe pour traduire *it*, *this*, *that*.

Cela nous ferait plaisir.	It would give us pleasure.
Cela vaudrait la peine de . . .	It would be worth the trouble to . . .
Ça ne fait rien.	That doesn't matter.
Cela semble ridicule.	It seems ridiculous.

Exercices

1. *Mettez* **il, ce** *ou* **cela:**

1. ________ est Américain.
2. Est ________ possible que nous partions?
3. Ma montre dit que ________ est huit heures.
4. ________ est bon.
5. ________ était un professeur excellent.
6. ________ n'est pas à moi.

7. ________ sera bientôt trois heures.
8. ________ est essentiel de l'écrire.
9. ________ est elle, ________ sont eux.
10. Quand ________ sera sept heures je partirai.
11. Est ________ Russe ou Anglais?
12. ________ n'est pas médecin.
13. ________ doit être eux.
14. ________ sont des parents.
15. ________ sont parents.
16. ________ est en essayant que l'on réussira.
17. ________ lui ferait tort.
18. ________ n'est pas vrai.
19. ________ sont très importants.
20. ________ est à moi de jouer.

2. *Traduisez:*

1. They are different.
2. That's impossible.
3. That's another story.
4. It is midnight.
5. It's a true story.
6. Is it true that he lied?
7. That must be wrong (*faux*, *mal*).
8. It must be hard to learn.
9. It must be hard to learn that.
10. It is four-thirty.
11. It is easy to earn one's living (*sa vie*).
12. He is impossible.
13. It is to them that I owe my life (*la vie*).
14. That bores me.
15. He bores me.
16. They are cousins.
17. It bores me to do this.
18. It ought to delight (*enchanter*) you.
19. That's where you'll find one.
20. Wake me at a quarter to seven.
21. That's much too early (*tôt*).
22. She is impossible.

3. *Préparez cinq phrases avec* **il est** *suivi par le vrai sujet.*

CHAPITRE XXII

Adjectifs et Pronoms Interrogatifs

ADJECTIFS INTERROGATIFS

Les adjectifs interrogatifs sont:

M. S	F. S.	M. Pl.	F. Pl.
quel?	**quelle?**	**quels?**	**quelles?**

1. L'adjectif interrogatif s'emploie devant un nom, ou devant le verbe **être** suivi d'un nom. L'adjectif interrogatif s'accorde avec ce nom en genre et en nombre.

Quel livre lisez-vous?	Which book . . . ?
Dans quelle maison . . . ?	In which house . . . ?
Quels sont ces tableaux?	What are these pictures?
Quelles chaises?	What chairs?

2. L'adjectif interrogatif, comme en anglais, sert d'exclamation.

Quelle jolie petite fille!	What a pretty little girl!
Quel beau temps!	What fine weather!
Quel bobard!	What a tall story!
Quel imbécile!	What a fool!
Quel ennui!	What a bore (thing)!
Quel raseur!	What a bore (person)!

PRONOMS INTERROGATIFS

	Pour une Personne	Pour une Chose
Sujet du verbe	**qui? qui est-ce qui?** who?	**qu'est-ce qui?** what?
Complément du verbe	**qui? qui est-ce que?** whom?	**que? qu'est-ce que?** what?
Complément d'une préposition	**qui?** whom? whose?	**quoi?** what?

Qui parle? ou **Qui est-ce qui parle?**	Who is speaking?
Qu'est-ce qui est tombé?	What fell?
Qui demandez-vous? ou **Qui est-ce que vous demandez?**	Whom are you asking for?
Que Jean veut-il? ou **Qu'est-ce que Jean veut?**	What does John want?
Avec qui allez-vous?	With whom are you going?
De qui avez-vous une lettre?	From whom do you have a letter?
A quoi pensez-vous?	About what are you thinking?
De qui avez-vous la photo?	Whose photograph have you?
Pour l'amour de qui ferait-on cela?	For the love of whom (for whose love) would one do that?

NOTE: Le pronom **quoi,** comme en anglais, sert d'exclamation ou grossièrement (*vulgarly*) d'interrogation absolue. Il est synonyme de **comment!**

Quoi?	What?
Quoi! Vous êtes malade?	What! You're sick?

Lequel? laquelle? lesquels? lesquelles? (*which? which one? which ones?*) s'emploient pour distinguer entre deux ou plusieurs personnes ou choses.

Laquelle des deux fleurs voulez-vous?	Which one of the two flowers do you want?
Lesquels des livres voulez-vous prendre?	Which of the books do you want to take?
Lequel? Mais celui qui se trouve là-bas.	Which one? Why the one that's over there.
Auquel de ces auteurs vous intéressez-vous le plus?	In which of these authors are you most interested?
Duquel peut-on dire cela?	Of which one can that be said?
Avec lequel des frères s'est-elle mariée?	Which of the brothers did she marry?

Exercices

1. *Ajoutez l'adjectif interrogatif nécessaire:*

1. ________ livre voulez-vous?
2. Vers ________ port allons-nous?
3. ________ est la ville de votre naissance?
4. Madame désire ________ sorte de robe?
5. ________ horrible accident!
6. Vous prenez ________ fruits, Monsieur?
7. De ________ côté se trouve le bureau de poste?
8. Dites-moi ________ date il a choisie.
9. Vous prenez ________ train, à ________ heure?
10. ________ fleurs ne faut-il pas cueillir?

2. *Traduisez:*

1. What boys are going with him?
2. What a touching scene!
3. Which meat are you buying?
4. Which elements are lacking (*manquer*)?
5. To which house are you going?
6. Which friends do you see the most often?
7. What a fool!
8. What is the largest port of France?
9. Which train are you taking?
10. What questions (*f.*) do you want to ask?

3. *Traduisez ces phrases en anglais, et expliquez l'emploi de chaque pronom interrogatif:*

1. Qu'est-ce qui vous fait peur?
2. Que désirez-vous, Madame?
3. Lesquels des livres allez-vous acheter?
4. Qui prend ce train-ci?
5. A quoi les soldats pensent-ils?
6. Qu'est-ce qu'il a dit?
7. Qui cherchez-vous?
8. A qui répond-il?
9. Qu'est-ce que vous avez constaté?
10. Laquelle des deux est votre mère?
11. Pour qui font-ils cela?
12. Que voulez-vous faire?

4. *Ajoutez le pronom interrogatif nécessaire, en changeant l'ordre de la phrase où il le faut:*

1. ________ parle? (3 formes possibles)
2. ________ faites-vous? (3 formes)
3. Chez ________ demeurez-vous?
4. ________ est bleu?
5. De ________ parlait-il? (3 formes)
6. ________ vient aujourd'hui?
7. ________ voulez-vous dire?
8. A ________ pensez-vous?
9. Pour ________ donne-t-il cette fête?
10. ________ changera les circonstances?

5. *Traduisez:*

1. With whom is he going?
2. What is happening?
3. Whose son is he?
4. Who are your friends?
5. Whom does she wish to see?
6. With what are you writing?
7. What does he study at the University?
8. What's he thinking of?
9. Whom is he talking about?
10. He answered me, "What?"
11. Which of the daughters is he marrying (*épouser*)?
12. Of which one is he thinking?

13. Of which one is he talking?
14. Whose ideas are stupid?
15. For whose ears is he saying that?
16. With whose aid was the victim poisoned?
17. Which one established (*constater*) that fact?

CHAPITRE XXIII

Adjectifs et Pronoms Possessifs

ADJECTIFS POSSESSIFS

Les adjectifs possessifs sont:

M. S.	F. S.	M. et F. Pl.
mon my	**ma**	**mes**
ton your	**ta**	**tes**
son his, her	**sa** *his, her*	**ses**
notre our		**nos**
votre your		**vos**
leur their		**leurs**

1. Un adjectif possessif se place devant le nom qu'il qualifie, s'accorde avec ce nom en genre et en nombre et avec le possesseur de l'objet en personne et en nombre.

mon livre, sa maison	my book, his house
vos enfants, leur père	your children, their father
notre travail, nos amis	our work, our friends

2. Quand un nom féminin singulier commence par une voyelle ou un **h** muet, il faut employer **mon, ton, son** au lieu de **ma, ta, sa** pour éviter un hiatus.

mon idée **son homme** **son influence**

3. Pour distinguer entre *his, her*, il est possible d'ajouter **à lui, à elle,** après le nom.

son livre à lui **son livre à elle**

NOTE: Les adjectifs possessifs au pluriel peuvent se traduire par *of mine*, *of yours* (*of thine*), *of his*, *of hers*, *of ours*, *of yours*, *of theirs*.

Je cherche un de vos amis.	I am looking for a friend of yours.

4. On remplace un adjectif possessif par l'article défini devant une partie du corps, si le possesseur est clairement indiqué par le sujet du verbe précédent.

J'ai mal à la tête.	My head aches, hurts.
Elle a les cheveux bruns.	She has brown hair.
Il avait les mains froides.	His hands were cold.
J'ai froid aux mains.	My hands are cold.
Il a passé le bras par la porte.	He put his arm through the doorway.

MAIS:

Ma tête me fait mal.	My head hurts.
Ses yeux bleus me suivaient.	Her blue eyes followed me.
Je voyais son bras disparaître.	I saw his arm disappear.
Son œil s'est fermé.	His eye closed.
Il voit que mes yeux sont rouges.	He sees my eyes are red.

PRONOMS POSSESSIFS

Les pronoms possessifs sont:

M. S.		F. S.		M. Pl.	F. Pl.
le mien	mine	**la mienne**		**les miens**	**les miennes**
le tien	yours	**la tienne**		**les tiens**	**les tiennes**
le sien	his, hers	**la sienne**	his, hers	**les siens**	**les siennes**
le nôtre	ours	**la nôtre**		**les nôtres**	
le vôtre	yours	**la vôtre**		**les vôtres**	
le leur	theirs	**la leur**		**les leurs**	

Votre maison est grande tandis que la mienne est petite.	Your home is large whereas mine is small.
Il m'a donné un livre mais ce n'était pas le vôtre.	He gave me a book but it wasn't yours.
Ses problèmes sont plus difficiles à résoudre que les miens.	His (her) problems are more difficult to solve than mine.
J'ai emporté mes paquets et les siens aussi.	I took my packages and hers (his) too.

1. Remarquez que les adjectifs possessifs, **notre** et **votre,** n'ont pas d'accent circonflexe, à l'encontre des (*contrary to*) pronoms possessifs, **le nôtre, le vôtre,** etc. Remarquez aussi que **notre** et **votre** deviennent **nos, vos** au pluriel tandis que **le nôtre, le vôtre** deviennent **les nôtres, les vôtres.**

2. Un pronom possessif s'emploie pour remplacer un nom et un adjectif possessif. Donc le pronom possessif s'accorde avec ce nom qu'il remplace en genre et en nombre. Il s'accorde avec le possesseur en personne et en nombre.

notre maison	**la nôtre**	ours	(f. s.; 1e personne pl.)
leur père	**le leur**	theirs	(m. s.; 3e personne pl.)
mes livres	**les miens**	mine	(m. pl.; 1e personne s.)

3. Si **à** ou **de** précède le pronom possessif, il y a une contraction entre cette préposition et l'article du pronom.

de + le mien = du mien	of mine, from mine, etc.
à + les vôtres = aux vôtres	to yours, etc.
Parlez de vos parents, si vous voulez, pas des miens.	Talk about your relatives, if you wish, not about mine.

NOTE: La possession est exprimée aussi par **être à moi, être à toi,** etc. La locution **être à** sert à établir la possession d'un objet.

Ce livre est à moi.	This book is mine.
Ces papiers sont à eux.	Those papers are theirs.

4. Pour souligner la possession d'un objet on peut ajouter **à moi, à toi,** etc., à un nom qualifié d'un adjectif possessif.

Voilà mon ambition à moi!	That's *my* ambition!
Elle veut sa chambre à elle.	She wants her *own* room. (or, She wants a room of her own.)

Exercices

1. *Ajoutez un adjectif possessif devant chaque nom:*

conversation (*f.*)	oncle	Canada (*m.*)
intelligence (*f.*)	tante	chapeau
arbre (*m.*)	sœur	fils
mère	Amérique (*f.*)	fille
frère	Belgique (*f.*)	désirs

2. *Traduisez:*

her father	my uncles	her intelligence
his mother	our hats	his intelligence
her brother	their France	your daughters
his sister	their books	their sons
their mother	your desires	their sister

3. *Mettez au pluriel les noms et adjectifs qui sont au singulier dans l'exercice 2 et mettez au singulier tous les pluriels.*

4. *Répétez chaque nom avec tous les adjectifs possessifs possibles:*

histoire (*f.*)	influence (*f.*)	ami (*m.*)
cheveux	hôpital (*m.*)	pays (*m.*)
courage (*m.*)	appartement (*m.*)	fruit (*m.*)
âme (*f.*)	intérêt (*m.*)	amie (*f.*)
robes	envie (*f.*)	exercices

5. *Traduisez:*

1. He has lost his sister.
2. Our parents are here.
3. Her father is old.
4. I am looking for their apartment.
5. My head aches.

6. Her tooth (*dent, f.*) aches.
7. How brown his eyes are!
8. We have long hair.
9. A friend of hers is here.
10. A sister of mine arrives today.
11. Her eyes are blue and her hair is red.
12. His back hurts.
13. They told me her face (*visage*, m.) was sad.
14. His affection shows (*se montrer*) in his eyes.
15. My face is hot.
16. That notebook is mine.
17. Mine is on the table.

6. *Remplacez chaque adjectif possessif et son nom par un pronom possessif:*

1. Mon fils est arrivé, mais votre fils est en retard.
2. Elle cherche son frère.
3. Ils vont avec leurs amis; moi, je vais avec mon ami.
4. Elle danse avec son mari.
5. Notre mère est malade.
6. Vos fraises sont plus belles que mes fraises (*f.*).
7. Son histoire a été inventée.
8. Il a reçu leur lettre.
9. Son dessert est excellent.
10. Prenez votre argent à vous.

7. *Traduisez:*

1. I have my hat, but I do not see yours.
2. Their house is near ours.
3. His exercises are better than mine.
4. Your students work more than his.
5. Our stores are not so (*si*) interesting as theirs.
6. If you cannot drive (*conduire*) your automobile, take ours.
7. Let us put his stuff (*affaires*) with yours.
8. Here are the dresses: mine is blue, hers is red.
9. These ideas can't be theirs.
10. You ate your chocolate but he didn't eat his.

8. *Ajoutez le pronom possessif nécessaire:*

1. Elle garde son chapeau; gardez-vous ________?
2. Je pense à ma mère, et il pense ________.
3. Voici son assiette; où est ________?

4. Il veut aller à son appartement, et moi, je veux aller ______.
5. J'ai parlé de mon frère; ils parlent ______.
6. Laisse-moi conduire mon auto (*f.*); conduis ______ comme tu voudras.
7. Il demande sa sœur; demandons-nous ______?
8. Cherchez votre mari; je chercherai ______.
9. Il a besoin d'un mouchoir, et j'ai perdu ______.
10. Je suis à ma place; mettez-vous à ______.

CHAPITRE XXIV

Féminin des Noms et des Adjectifs

1. Règle générale: On ajoute un **e** au masculin singulier pour former le féminin.

grand,	**grande**
tout,	**toute**

2. La terminaison:

e	ne change pas		**rouge, rouge**
er	devient **ère**		**premier, première** (è + consonne + **e** muet)
x	"	**se**	**curieux, curieuse**
f	"	**ve**	**actif, active**
cur[1]	"	**euse**	**porteur, porteuse**

3. La terminaison **-eur** devient **-eresse** dans quelques mots.

enchanteur, enchanteresse	enchanter, enchantress; enchanting
vengeur, vengeresse	avenger; avenging

4. **Majeur, mineur, meilleur,** et les adjectifs en **-érieur,** forment leur féminin avec un **e** final.

meilleur, meilleure	better
extérieur, extérieure	external, exterior
supérieur, supérieure	superior, upper
inférieur, inférieure	inferior, lower
etc.	

[1] Quand le mot dérive d'un participe présent: **parlant** donne **parleur, parleuse.**

5. La terminaison **-teur** devient **-trice** pour certains mots.

acteur, actrice
accusateur, accusatrice accuser; accusing
directeur, directrice

6. Les terminaisons **-el, -eil, -et, -ot, -en, -on, -s:** la consonne finale est doublée au féminin et suivie d'un **e.**

ancien, ancienne	former	**net, nette**	clear
bon, bonne	good	**pareil, pareille**	similar
gros, grosse	fat	**sot, sotte**	silly
		tel, telle	such

7. Les adjectifs suivants en **et** ne doublent pas la consonne finale au féminin mais prennent un accent grave sur l'**e** qui précède cette consonne. Apprenez-les par cœur.

complet, complète
concret, concrète
discret, discrète
inquiet, inquiète
replet, replète
secret, secrète

} **è** + consonne + **e** muet

8. La terminaison **-gu** ajoute **ë** au féminin. Le tréma indique qu'on prononce l'**u** comme au masculin.

aigu, aiguë sharp, piercing

9. Quelques noms ajoutent **-esse** à la dernière consonne du masculin singulier.

le comte, la comtesse	**le tigre, la tigresse**
l'hôte, l'hôtesse	**le traître, la traîtresse**
le maître, la maîtresse	etc.
le prince, la princesse	

10. Féminins irréguliers:

le bœuf, la vache	bullock, ox; cow
le compagnon, la compagne	companion
l'empereur, l'impératrice	emperor, empress
le fils, la fille	son, daughter
le frère, la sœur	brother, sister
le gouverneur, la gouvernante	governor, tutor
le héros, l'héroïne	hero, heroine
l'oncle, la tante	uncle, aunt
le père, la mère	father, mother
le roi, la reine	king, queen
etc.	

11. Quelques noms restent toujours masculins, sans féminin:

un auteur *author* (un homme ou une femme)	**un philosophe**
un docteur	**un poète**
un écrivain	**un professeur**
un orateur	**un soldat**
	etc.

Cette femme est un écrivain connu.	This woman is a well-known writer.
On dit aussi:	
C'est une femme poète, écrivain, professeur, etc.	She is a (woman) poet, writer, etc.

12. Quelques noms sont invariables au singulier, et changent d'article seulement, au féminin.

un artiste, une artiste	**un enfant, une enfant**
un camarade, une camarade	**un malade, une malade**
un élève, une élève	etc.

13. Plusieurs adjectifs ont une forme spéciale devant un nom masculin singulier qui commence par une voyelle ou un **h** muet. Ces trois sont les plus courants:

		F. S.	M. Pl.	F. Pl.
M. S.				
beau, bel	beautiful, fine	**belle**	**beaux**	**belles**
nouveau, nouvel	new	**nouvelle**	**nouveaux**	**nouvelles**
vieux, vieil	old	**vieille**	**vieux**	**vieilles**

un vieil homme
un nouvel appartement
un bel arbre

14. Des féminins irréguliers. Apprenez-les par cœur.

bénin, bénigne beneficial
blanc, blanche white
bref, brève brief, short
doux, douce sweet
faux, fausse false
favori, favorite
frais, fraîche fresh
franc, franche
un chanteur, une cantatrice,[2] **une chanteuse** a singer
un dieu, une déesse a god, goddess
gentil, gentille nice
gris, grise gray
long, longue
malin, maligne shrewd
nul, nulle none at all
public, publique
roux, rousse reddish, auburn
sec, sèche dry
un nègre, une négresse
un paysan, une paysanne a peasant
etc.

Exercices

1. *Mettez au féminin:*

a. sec — complet
neuf — fier
cher — paysan
secret — gris
fou — public

b. vieux — un roi jaloux
long — le danseur favori
meilleur — quel hôte
vert — un dieu furieux
difficile — le sien

c. un flatteur accompli — frais
un maître maladif — gentil

[2] Une **cantatrice** est une artiste d'opéra ou de concert.

un frère inquiet	franc
un voyageur heureux	doux
nul étranger	sujet

2. *Mettez au masculin:*

une belle tante	discrète	ouvreuse
une reine joyeuse	sèche	craintive
une nouvelle enfant	brève	studieuse
lasse	maligne	telle
familière	fausse	inférieure

3. *Faites accorder les adjectifs:*

1. J'ai une sœur plus (âgé) et moins (paresseux) que moi.
2. La reine était (doux) et (gentil) mais très (vieux).
3. Il est difficile de trouver une personne moins (franc), plus (furtif) et (secret) qu'elle.
4. Je n'ai jamais eu une camarade (pareil), si (désireux) de plaire.
5. Cette femme est (sot) de croire que c'est la (meilleur) chose à faire.
6. J'écoute cette (nouveau) histoire (étonnant) et (bizarre).
7. Quelle histoire (fâcheux) et (désagréable).
8. La phrase est (net), (clair) et pas trop (long).
9. Nous n'avons (nul) envie de le faire.
10. Cette (faux) nouvelle est déjà (ancien).
11. Elles sont (sec) et pas assez (roux).

4. *Traduisez:*

1. Isn't it an enchanting garden?
2. She thinks she's a great actress.
3. Your shrewd aunt is a great talker.
4. Where is the mistress of the house?
5. The old peasant woman thinks she's the empress.
6. The hero is a handsome young doctor.
7. She became a famous writer, author of several novels.
8. The singer is a great artist, isn't she?
9. Be brief. I have to visit a sick woman.
10. Do women make good soldiers?
11. The heroine uttered (*pousser*) a piercing cry.
12. If she had been more discreet she wouldn't be so uneasy.
13. His companion is a tigress and a traitress.

CHAPITRE XXV

Pluriel des Noms et des Adjectifs. Place de l'Adjectif

FORMATION DU PLURIEL

1. Règle générale: On ajoute un **s** au singulier.

un homme, des hommes	**rouge, rouges**
un chat, des chats	**blanc, blancs**
un sou, des sous	**actif, actifs**

2. Mais les terminaisons

s, x, z ne changent pas;

la voix, les voix **le bras, les bras** **le nez, les nez**

au, eau prennent un **x**;

le beau chapeau, les beaux chapeaux

al, ail changent en **aux**;

le cheval royal, les chevaux royaux
le travail principal, les travaux principaux

eu (un nom) prend un **x**; **eu** (un adjectif) prend un **s**.

le feu bleu, les feux bleus

3. Notez ces pluriels exceptionnels. Apprenez ces listes par cœur.

a.	**un bal, des bals**	**fatal, fatals**
	un carnaval, des carnavals	**final, finals**
	un détail, des détails	**glacial, glacials**
b.	**bijou, bijoux** jewels	**hibou, hiboux** owls
	caillou, cailloux pebbles	**joujou, joujoux** toys
	chou, choux cabbages	**pou, poux** lice
	genou, genoux knees	
c.	**aïeul, aïeux** ancestors	**mademoiselle, mesdemoiselles**
	monsieur, messieurs	**œil, yeux** eyes
	madame, mesdames	**tout(e), tous,**[1] **toutes** all, every

d. Un nom qui désigne les membres d'une famille est invariable au pluriel.

les Bidot **les Jourdain** **les Pasquier**

PLACE DE L'ADJECTIF

1. L'adjectif se place en général après le nom.

un livre important	**la mode française**
une maison blanche	**une peur terrible**

2. Certains adjectifs se placent d'ordinaire devant le nom:

autre	**grand**	**mauvais**	**petit**
beau	**gros**	**méchant**	**tout** (*every*)
bon	**jeune**	**meilleur**	**vieux**
court	**joli**	**nouveau**	**vilain**
	long		

une vieille femme	**la meilleure espèce**
un joli jardin	**les petits enfants**

[1] Le **s** de **tous,** pronom, se prononce: **Ils sont tous fous.**

3. Plusieurs adjectifs ont deux sens, selon leur position devant ou après le nom:

	Devant le Nom	Après le Nom
ancien	former	old, ancient
brave	good	brave
cher	dear = cherished	dear = expensive
nouveau	new = another	new = recent
pauvre	poor = distressed	poor = impecunious

NOTE: **Un grand homme.** A great man.
Un homme grand. A tall man.
Un grand garçon. A big (tall) boy.

4. Après **que** et **comme** dans une exclamation, l'adjectif suit le verbe.

Qu'il fait beau! How fine the weather is! / What grand weather!

Comme vous êtes gentille! How nice you are!

Exercices

1. *Mettez au pluriel:*

a. le nouveau général
un bois noir
un trou profond
un milieu sec
ce chou mauvais
un Français loyal
un œil bleu
le tableau original

b. cet animal fou
un oiseau gris
le bateau du canal
le bijou principal
le vieux monsieur
un verrou court
le métal du couteau
un faux pas

c. le beau pays
un fils doux
l'examen final
le cas original
le bureau du château
ce détail amusant
un travail neuf
le bal militaire

d. le parti radical
le pluriel ancien
un temps fou
une eau fraîche
le choix principal
le faux rapport
un dieu vengeur
un froid glacial

e. un carnaval public
cet oiseau bleu
le travail obligatoire
le vieux roi franc
l'avion fatal
le gros monsieur
ce bonbon curieux
un Chinois intransigeant

f. l'Américain, l'Anglais
le Français, la Russe
le prix précis
un cheveu brun
un manteau chaud
l'exercice oral
ce soldat courageux
notre général

2. *Mettez au pluriel les noms qui s'y prêtent:*
1. Son œil bleu me regarde tout le jour.
2. Votre genou vous fait-il mal?
3. Ce canal principal a demandé un travail fou.
4. Le monsieur maladif demande l'adresse de Thibaud.
5. Ce mauvais gueux est dangereux.
6. Il me donne ce beau cadeau.
7. Madame est servie.
8. Mademoiselle a mangé le plus gros morceau.
9. Toute la journée a été difficile.
10. Le chemin le plus court passe devant ce nouveau bâtiment.

3. *Faites accorder les adjectifs, et mettez-les à leur place ordinaire:*

a.
1. (généreux) un homme
2. (doux) une femme
3. (gros) une pèche
4. (rouge) une couverture
5. (nouveau) les maîtres
6. (beau) les assiettes
7. (frais) le pain
8. (difficile) une leçon
9. (amusant) les livres
10. (court) une histoire

b.
1. (original) une idée
2. (bleu) les livres
3. (heureux) les voyageurs
4. (jeune) un homme
5. (long) une robe
6. (fou) un animal
7. (noir) la nuit
8. (meilleur) les temps
9. (bon) les yeux
10. (faux) une nouvelle

4. *Mettez au singulier:*
1. Mesdames, mesdemoiselles, messieurs, les bureaux sont ouverts.
2. Ces cheveux blonds sont beaux.
3. Les temps nouveaux apportent des maux étranges.
4. Les travaux excessifs des eaux printanières sont évidents.
5. Les examens généraux ne viennent pas tous les jours.

5. *Traduisez:*

1. Tell me all the details.
2. Let the royal works be done!
3. Her fateful eyes were closed.
4. He says he lives in the white house.
5. Among his playthings was an old stuffed (*empaillé*) owl.
6. Every peasant woman knows how to make cabbage soup (*la soupe aux* ________).
7. You're a big boy now.
8. The poor man needs a new tie.
9. They were old friends in former times (*époque* f.).
10. Another cup of tea, my good woman.
11. Be fair, my dear. He is a great man.
12. But how naïve he is!

CHAPITRE XXVI

Comparaison de l'Adjectif

1. L'adjectif a trois formes:

le positif	le comparatif		le superlatif	
beautiful	*more beautiful* (*than*)		*the most beautiful* (*of*, *in*)	
beau, belle	**plus beau (belle)**	**(que)**	**le (la) plus beau (belle),** etc.	**(de)**
beaux, belles	**plus beaux (belles)**			

NOTE: *In* après un superlatif s'exprime par **de.**

C'est la plus célèbre gaffe de l'histoire.	It is the most famous blunder in history.

2. La comparaison de **bon** se fait ainsi:

le positif	le comparatif		le superlatif	
good	*better* (*than*)		*the best*	
bon, bonne	**meilleur(e)**	**(que)**	**le (la) meilleur(e)**	**(de)**
bons, bonnes	**meilleur(e)s**		**les meilleur(e)s**	

C'est le meilleur procédé à suivre.	It's the best procedure to follow.
C'est le meilleur de tous.	It's the best of all.

3. La comparaison de **mauvais** se fait ainsi:

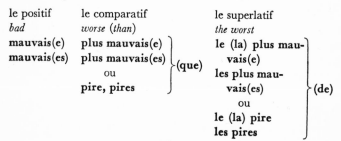

le positif	le comparatif		le superlatif	
bad	*worse* (*than*)		*the worst*	
mauvais(e)	**plus mauvais(e)**	**(que)**	**le (la) plus mauvais(e)**	**(de)**
mauvais(es)	**plus mauvais(es)**		**les plus mauvais(es)**	
	ou		ou	
	pire, pires		**le (la) pire**	
			les pires	

Le chien dans le coin est le pire.	The dog in the corner is the worst.
C'est plus mauvais qu'autrefois.	It's worse than it used to be.

4. La comparaison de **petit** se fait ainsi:

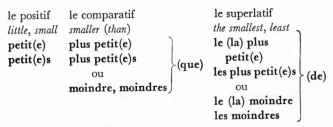

le positif	le comparatif		le superlatif	
little, small	*smaller (than)*		*the smallest, least*	
petit(e)	**plus petit(e)**	(que)	**le (la) plus petit(e)**	(de)
petit(e)s	**plus petit(e)s**		**les plus petit(e)s**	
	ou		ou	
	moindre, moindres		**le (la) moindre**	
			les moindres	

NOTE: **Plus petit** s'emploie quand il s'agit des dimensions d'un objet, tandis que **moindre** s'emploie pour indiquer le degré d'importance, de difficulté, etc., d'une chose.

Elle est plus petite que ma sœur.	She is smaller than my sister.
C'est la moindre chose à faire.	That's the least one can do.
Voilà le moindre de nos ennuis.	Here's the least of our worries.
Pas la moindre goutte d'eau . . .	Not the slightest drop of water . . .

5. Comparaison d'égalité, de supériorité, d'infériorité. Trois genres de comparaisons sont possibles: la comparaison de supériorité, la comparaison d'infériorité, la comparaison d'égalité.

a. Comparaison de supériorité. Les exemples de 1, 2, 3, et 4 ci-dessus sont des comparaisons de supériorité.

Celui-ci est plus beau que celui-là.	This one is more beautiful than that one.

b. Comparaison d'infériorité.

1. le comparatif: moins . . . que

Ceux-ci sont moins suspects que les autres.	These are less questionable than the others.

2. le superlatif: le moins . . . (de), la moins . . . (de), etc.

C'est la moins gourmande de tous.	She's the least greedy of all.
Ce sont les moins grossiers de tous.	They are the least vulgar of all.

c. Comparaison d'égalité, au comparatif seulement: aussi . . . que.

Elle est aussi chic que sa sœur.	She is as well dressed (grand a person, generous, etc.) as her sister.

NOTE: Le second verbe d'une comparaison d'inégalité (**plus . . . que, moins . . . que**) est précédé d'un **ne** explétif.

Il est plus bête que vous ne pensez.	He is more stupid than you think.
C'est moins cher que je ne croyais.	It is less expensive than I thought.

Exercices

1. *Donnez toutes les formes du comparatif:*

1. long	2. petits	3. douces
bon	active	heureux
difficile	nouvelle	vilain
sèche	gentil	jolies

2. *Donnez les superlatifs des adjectifs de l'exercice 1.*

3. *Écrivez le comparatif et le superlatif de ces expressions:*

1. le frère gentil	3. les hommes joyeux
2. la femme curieuse	4. les maisons blanches

4. *Traduisez:*

1. That child is happier than his sister.

2. She was as pretty as her mother.
3. Here is the oldest bottle (*bouteille*, f.).
4. This dress is the least beautiful of all.
5. He is the best man in the group (*groupe*, m.).
6. The sister is less intelligent than the brother.
7. He has the oldest car (*voiture*, f.).
8. This bread is fresher than the other.
9. He is the tallest of all the men.
10. This actress is less experienced (*expérimenté*) than she should be.
11. She is the least dangerous.
12. She is more dangerous.
13. He's the worst of all.
14. It's worse than you had supposed.

CHAPITRE XXVII

Les Nombres

1. Les adjectifs numéraux:

1	un, une	16	seize	51	cinquante et un (une)
2	deux	17	dix-sept	60	soixante
3	trois	18	dix-huit	61	soixante et un (une)
4	quatre	19	dix-neuf	70	soixante-dix
5	cinq[1]	20	vingt	71	soixante et onze
6	six[1]	21	vingt et un (une)	72	soixante-douze
7	sept[1]	22	vingt-deux[3]	73	soixante-treize
8	huit[1, 2]	23	vingt-trois, etc.	74	soixante-quatorze
9	neuf[1]	30	trente	75	soixante-quinze
10	dix[1]	31	trente et un (une)	76	soixante-seize
11	onze[2]	32	trente-deux, etc.	77	soixante-dix-sept
12	douze	40	quarante	78	soixante-dix-huit
13	treize	41	quarante et un (une)	79	soixante-dix-neuf
14	quatorze	42	quarante-deux, etc.	80	quatre-vingts
15	quinze	50	cinquante	81	quatre-vingt-un (une)[3]

90 quatre-vingt-dix	1000 mille (invariable)[5]
91 quatre-vingt-onze[3]	1001 mille un
100 cent, 200 deux cents[4]	2000 deux mille
101 cent un, une (sans liaison)	1.000.000 un million
202 deux cent deux[4]	1.000.000.000 un milliard

[1] Dernière consonne prononcée excepté devant une autre consonne ou **h** aspiré.

[2] Jamais d'élision devant **huit, huitième; onze, onzième.**

[3] Le **t** de **22,** etc. se prononce. Il est muet dans **81,** etc.

[4] **Cent** est invariable devant un autre nombre.

[5] On dit **mille** ou **mil** dans les dates.

mille (mil) sept cent quatre-vingt-neuf, 1789

NOTE : La ponctuation des chiffres français se fait avec des points et une virgule, au contraire de l'anglais, qui emploie des virgules et un point. **10.495,06 = 10,495.06**

2. *First*, *second*, *third*, *fourth*, etc. :

premier, première, ou **1er, 1e**	**treizième**
deuxième, 2^{e}	**quatorzième**
troisième, 3^{e}	**quinzième**
quatrième, 4^{e}	**seizième**
cinquième, 5^{e}	**dix-septième**
sixième, 6^{e}	**dix-huitième**
septième, 7^{e}	**dix-neuvième**
huitième, 8^{e}	**vingtième**
neuvième, etc.	**vingt et unième,** etc.
dixième	**quarantième,** etc.
onzième	**centième,** etc.
douzième	**quantième** (*any number*)

3. *First* (*firstly*), *secondly*, *thirdly*, etc. :

premièrement, ou **1°**	**cinquièmement,** ou **5°**
troisièmement, ou **3°**	**neuvièmement,** ou **9°**
	etc.

4. Remarquez ces nombres collectifs :

une huitaine (*about eight*)
une dizaine (*about ten*)
une douzaine
une quinzaine
une vingtaine, trentaine, etc.
une centaine
un millier
un million

} **+ de** (devant un nom)

J'ai acheté une quinzaine de livres.	I bought about fifteen books.
Une vingtaine de prisonniers se sont échappés.	About twenty prisoners escaped.

Prenez-en une dizaine.	Take some ten of them.
Un million de dollars.	A million dollars.

MAIS: **cent livres, mille livres**

5. En parlant des rois, on dit: **premier, deux, trois, quatre,** etc., comme pour la date. (Voir le chapitre suivant.)

Henri premier **Louis neuf** **Charles dix**

6. Les numéros de téléphone des grandes villes s'écrivent et se disent d'ordinaire ainsi:

Ély	**89.71**	**Élysées quatre-vingt-neuf soixante et onze**
Anj	**01.54**	**Anjou zéro un cinquante-quatre**
Aut	**41.00**	**Auteuil quarante et un zéro zéro**

Exercices

1. *Comptez de cinq jusqu'à cent, par cinq (dix, quinze, etc.).*

2. *Comptez de onze jusqu'à deux cent un, par dix (vingt et un, trente et un, etc.).*

3. *Comptez de vingt jusqu'à mille, par vingts.*

4. *Dites en français:*

Charles	I	Louis	VII	Philippe	V
"	II	"	IX	"	IV
"	III	"	XI	"	I
"	IV	"	XIII	François	I
Henri	I	"	XIV	"	II
"	II	"	XV		
"	IV	"	XVI		
		"	XVIII		

5. *Répétez rapidement, puis écrivez en toutes lettres:*

516	181	690
324	1302	286
897	1915	999
213	1111	23,776
179	461	891,216
756	5271	1,167,294

6. *Commencez par* **le premier** *et continuez la série jusqu'à* **le trentième;** *puis répétez la série au féminin.*

7. *Commencez par* **premièrement** *et répétez la série jusqu'à* **vingtièmement.**

8. *Traduisez:*

1. One in (*sur*) a thousand.
2. There are more than about thirty rules to learn!
3. About a thousand men were killed there.
4. It's the ninth time I have answered.
5. Three hundred redskins bit the dust (*peau-rouge, mordre, poussière* f.).
6. I only counted eighty of them.
7. The French say the One Thousand and One Nights.
8. I had to count 383 sheep (*mouton*).
9. There were over eighty girls in the ballet.
10. Do you know a game called 500?
11. After the umteenth shot (*coup*) he fell.
12. Just think! One hundred years!
13. Kléber 91.02, please.

CHAPITRE XXVIII

La Date, l'Heure

LA DATE

1. La date se dit ainsi:

mille (ou **mil**) **neuf cent trente-neuf** (1939); ou, **dix-neuf cent trente-neuf** (1939)
mercredi, le deux avril dix-neuf cent trente-neuf Wednesday, April 2, 1939
mardi, le trois mai dix-neuf cent quarante-quatre Tuesday, May 3, 1944
jeudi, le vingt et un septembre dix-sept cent vingt-deux Thursday, September 21, 1722
vendredi, le premier juin mil huit cent quarante-huit Friday, June 1, 1848

Notez l'exception importante pour le premier jour du mois: **le premier janvier (février, mars,** etc.).

2. Les sept jours de la semaine, tous masculins, sont:

lundi	**vendredi**
mardi	**samedi**
mercredi	**dimanche**
jeudi	

Notez qu'ils s'écrivent d'ordinaire avec une lettre minuscule.

3. Les douze mois sont tous masculins. (Notez la minuscule.)

janvier	**mai**	**septembre**
février	**juin**	**octobre**
mars (s prononcé)	**juillet**	**novembre**
avril	**août**	**décembre**

4. Les quatre saisons commencent par une minuscule aussi.

le printemps	**l'automne** (*m.*)
l'été (*m.*)	**l'hiver** (*m.*)

NOTE: *In spring, in summer*, etc.:

au printemps	**en automne**
en été	**en hiver**

L'HEURE

1. L'heure s'écrit ainsi:

9 h.	**Il est neuf heures du matin.**	It is nine o'clock in the morning.
	La classe commence à neuf heures.	The class begins at nine o'clock.
21 h.	**Il est vingt et une heures.**	It is 9 P.M.
	Il est neuf heures du soir. (Voir la note 3.)	
10 h. 10	**Il est dix heures dix (minutes).**	It is ten past ten.
11 h. 1/4	**Il est onze heures un quart (et quart)**	It is quarter past eleven.
12 h.	**Est-il midi ou minuit?**	Is it noon or midnight?
	Est-ce à midi ou à une heure?	Is it at noon or at one o'clock?
12 h. 23	**Il est midi vingt-trois.**	It is twelve twenty-three.
1 h. 1/2	**Il est une heure et demie.**	It is half past one.
2 h. 40	**Il est trois heures moins vingt,** etc.	It is twenty minutes to three.
2 h. 3/4	**Il est trois heures moins le quart (moins quart).**	It is a quarter to three.
12 h. 30	**Il est midi et demi, minuit et demi.**	It is 12:30.

Toutes les dix minutes.	Every ten minutes.
Toutes les demi-heures.	Every half hour.
Tous les combien?	Every how often?
Quelle heure est-il?	What time is it?
Je ne sais pas quelle heure il est.	I don't know what time it is.
Ce sera pour trois heures.	It will be at (for) three o'clock.
Quelle heure sera-t-il quand il rentrera?	What time will it be when he returns?

NOTE 1: **Demi,** après le substantif, s'accorde avec l'unité **heure** sous-entendue, sauf pour **midi** et **minuit,** quand il est invariable.

une heure et demie; minuit et demi

NOTE 2: **Demi,** devant un substantif, y est rattaché par un trait d'union et est invariable.

Une demi-heure.	Half an hour.
Une demi-journée.	Half a day.

NOTE 3: L'heure officielle en France, c'est-à-dire, pour les chemins de fer, les représentations de théâtre, etc., se compte de minuit à minuit, sans recommencer à midi. Autrement ou peut ajouter **du matin, du soir.**

Départ 20 h. 30.	Leaves 8:30 P.M.
Trois heures du matin.	Three o'clock in the morning.
Neuf heures du soir.	Nine in the evening.

Exercices

1. *Donnez l'heure à toutes les quinze minutes depuis midi jusqu'à minuit.*

2. *Donnez les sept jours, les douze mois, les quatre saisons.*

3. *Traduisez:*

1. May 10, 1940
2. December 25, 1459
3. July 14, 1789
4. March 1, 1391
5. He will see you at 9:30 P.M.
6. That train leaves at 6:45;

4. *Traduisez:*

1. We celebrate (*fêter*) our independence July 4.
2. The fourth of July is in summer, in North America.
3. Christmas is December 25.
4. The American Revolution began in 1776.
5. In summer he spends (*passer*) all his time in the garden.
6. At what time do your classes begin in winter?
7. Let's meet at the hotel at ten minutes of five.
8. This is the third time I have done it.
9. In the winter he is at home between three and five o'clock.
10. They never know what time it is.
11. Half an hour isn't enough.
12. How often is there a bus for Whatsis-on-the-Sea (*Machin-sur-Mer*)?

CHAPITRE XXIX

Adverbes

1. Un adverbe se forme:

a. En ajoutant **-ment** à un adjectif masculin terminé par une voyelle.

poli	**poliment**	politely
vrai	**vraiment**	truly
facile	**facilement**	easily
aimable	**aimablement**	amiably

b. En ajoutant **-ment** au féminin de l'adjectif, si l'adjectif masculin se termine par une consonne.

actif	**activement**	actively
frais	**fraîchement**	freshly

c. En changeant **-ant, -ent** de l'adjectif en **-amment, -emment.** La terminaison **-emment** se prononce comme **-amment.**

constant	**constamment**	constantly
intelligent	**intelligemment**	intelligently
prudent	**prudemment**	prudently
fréquent	**fréquemment**	frequently

2. Quelques adverbes de formation exceptionnelle:

aveugle	**aveuglément**	blindly
bon	**bien**	well
bref	**brièvement**	briefly

commode	**commodément**	conveniently
conforme	**conformément**	in conformity with
énorme	**énormément**	enormously
exprès	**expressément**	expressly
gai	**gaîment**	gaily
précis	**précisément**	precisely
profond	**profondément**	deeply
—	**vite**[1]	quickly

3. Les adverbes suivants ne dérivent pas d'un adjectif:

d'abord at first
alors at that time, in that case, then, so
assez quite, rather, enough, etc.
combien how much, how many
comment how
donc therefore
ensuite next, afterward
maintenant now
mal badly
où where
peu little, few
pourquoi why
puis then, next
quand when
très very
trop too much
etc.

NOTE: **Que** sert d'adverbe avec divers sens idiomatiques.

Que d'efforts inutiles!	Such (what a lot of) wasted effort!
Que c'est beau!	How beautiful it is!
Qu'il est assommant avec son histoire de chien enragé!	What a nuisance he is with his story about a mad dog!

4. L'adverbe se place:

a. Généralement tout de suite après le verbe.

Il travaille vite.	He works fast.
J'en parle difficilement.	I speak about it with difficulty.
Elle a déjeuné rapidement.	She lunched quickly.

NOTE: Un adverbe court se place entre l'auxiliaire et le participe passé d'un verbe composé.

---

[1] Dans la langue moderne l'adjectif **vite** a remplacé l'adverbe **vitement**, et **rapide** a remplacé **vite** comme adjectif.

Nous avons bien voulu faire cela.	We were quite willing to do it.
Il a mal travaillé.	He worked badly, poorly.

b. Au commencement de la phrase, si l'adverbe pose une question, ou pour insister sur l'adverbe.

Comment avez-vous fait cela?	How did you do it?
Normalement, nous rentrons de bonne heure.	Normally, we get back early.
Alors, j'ai marché vite.	So I walked fast.
Ensuite elle s'arrête devant l'épicerie.	Then (Next) she stops in front of the grocery store.
Donc, sa conclusion est logique.	Therefore his conclusion is logical.

5. La comparaison des adverbes se fait comme la comparaison des adjectifs.

positif:	**complètement**	completely
comparatif:	**plus complètement(que)**	more completely (than)
superlatif:	**le plus complètement(de)**	the most completely (of)

Ce sujet est traité plus complètement que l'autre.	This subject is treated more completely than the other.
Jean travaille le plus soigneusement de tous les élèves.	Jean works the most carefully of all the pupils.

6. Les comparaisons d'égalité et d'infériorité de l'adverbe se font aussi comme pour l'adjectif.

Il parle aussi bien qu'elle.	He speaks as well as she.
Elle joue moins bien que lui.	She plays less well than he.
Elle joue le moins bien de tous.	She plays the least well of all.

NOTE: **Ne** explétif se place devant le second verbe d'une comparaison adverbiale, comme pour une comparaison adjectivale.

Elle se fâche plus facilement que vous ne pensez!	She loses her temper easier than you think!

7. La comparaison de **beaucoup, peu, bien,** et **mal** est irrégulière.

le positif	le comparatif		le superlatif	
beaucoup much, a great deal	**plus** more	(que)	**le plus** the most	(de)
peu little	**moins** less		**le moins** the least	
bien well	**mieux** better		**le mieux** the best	
mal badly	**plus mal** *ou* **pis** worse		**le plus mal** *ou* **le pis** the worst	

Il parle plus qu'il ne faudrait.	He talks more than he should.
Les affaires vont de mal en pis.	Business goes from bad to worse.
Elle joue le mieux de tous.	She plays the best of all.

8. Les adverbes **assez** et **trop** qualifiant un adjectif, un autre adverbe ou employés seuls, demandent la préposition **pour** devant un infinitif.

Il est trop petit pour savoir.	He's too little to know.
On y va trop rarement pour se rappeler.	We go there too seldom to remember.
Il ne travaille pas assez pour gagner sa vie.	He doesn't work enough to earn his living.

Exercices

1. *Donnez les adverbes formés des adjectifs suivants:*

a.	b.	c.	d.
heureux	infini	différent	mauvais
grand	long	sec	petit
rude	franc	vif	bref
fréquent	énorme	constant	aveugle

2. *Ecrivez une phrase originale avec chaque adverbe que vous avez formé dans l'exercice 1.*

3. *Placez l'adverbe dans la phrase:*

1. Je l'ai acheté ici. (toujours)

2. Vous en voyez en hiver. (beaucoup)
3. Il faut partir. (bientôt)
4. Ils sont sortis. (promptement)
5. J'ai raison. (malheureusement)
6. Mon ami a besoin de travailler. (ne . . . plus) (2 possibilités)
7. Ils ont raison. (bien)
8. Je suis arrivé. (vite)
9. Qui a compris? (mal)
10. J'ai besoin de parler. (peu)

4. *Traduisez:*

1. First you burn (*brûler*) it, then you scrape (*gratter*) it.
2. He expressed himself (*s'exprimer*) quite gently, but firmly.
3. We quickly finished our lunch.
4. Where and how could he have done it?
5. He reasons more intelligently than his brother.
6. Is he fickle (*volage*)!
7. What a lot of fine boys!
8. She has frequently told us not to worry (*se tourmenter*).
9. He was the least worried of all.
10. How warm it is!
11. Quick, Henry! The fire extinguisher (*extincteur*, m.)!
12. She is much more deeply moved (*émouvoir*) than she appears.
13. She isn't rich enough to do all she wants.
14. Then I didn't know what to do with him.
15. If he made a mistake it's because he didn't see well enough.
16. So you think it's she who gets angry the least quickly in the whole family?
17. It is too late to go to the movies.
18. He was playing worse than ever.
19. In fact (*au fait*) he played the worst of all.
20. So I took the two thousand dollars!

CHAPITRE XXX

Négation

1. Locutions négatives ordinaires:

ne . . . pas no, not

Il n'a pas de pain.	He hasn't any bread.

ne . . . point no, not

Je n'ai point d'appétit.	I have no appetite.

ne . . . plus no more, no longer, not any more

Il n'est plus ici.	He's no longer here.

ne . . . rien nothing, not anything

Elle ne possède rien.	She possesses nothing.
Rien n'est plus facile.	Nothing is easier.

ne . . . personne nobody, no one

Je ne vois personne.	I see no one.
Personne ne dit cela.	No one says that.

ne . . . jamais never

Il n'arrive jamais à l'heure.	He never arrives on time.

ne . . . guère scarcely, hardly

Je n'ai guère de travail.	I have scarcely any work.

ne . . . nul (nulle) none (not any) at all.

Il n'a nulle ambition.	He hasn't any ambition at all.

ne . . . aucun none (not any) at all.

Elle n'a aucune amie.	She hasn't any friend at all.

NOTE: Plusieurs négatifs peuvent qualifier le même verbe avec un seul **ne.**

Je ne vois plus personne.	I don't see anyone any more.

2. Locutions particulières:

a. **ne** + verbe + **que** a le sens de **seulement** (*but*, *only*, *nothing but*, *nothing except*, etc.).

Elle n'a qu'un enfant.	She has only (but) one child.
Je ne vois que des fautes.	I see only mistakes.
Il ne fait que rougir.	He doesn't do anything except blush.

b. **ne** + verbe + **ni** + **ni** = *neither . . . nor*. La préposition et l'article sont supprimés après chacun des **ni** quand il s'agit d'un partitif; l'article indéfini est également supprimé après **ni . . . ni.**

Elle n'a ni chapeau ni manteau, ni bas ni souliers.	She has neither hat nor coat, neither stockings nor shoes.
Je n'y vois ni queue ni tête.	I can't make head or tail of it.
On n'a servi ni gâteaux ni glaces.	They served neither cakes nor ice cream.

MAIS:

Je n'ai vu ni le frère ni la sœur.	I saw neither the brother nor the sister.

3. Locution partitive après une négation: Il faut employer **de** seul, sans l'article. (Notez l'exception pour **ne . . . que,** ci-dessus.) Comparez:

Il a du pain.	He has some bread.
Il n'a guère de pain.	He has scarcely any bread.
Qui a du travail?	Who has work?
Qui n'a plus de travail?	Who has no more work?
J'ai des amis.	I have friends.
Je n'ai pas d'amis.	I haven't any friends.

NOTE: Quand on veut faire une distinction entre le substantif et un autre substantif, l'idée du partitif étant d'importance secondaire, on maintient l'article.

Il n'écrit pas des romans, il fait des vers.	He isn't writing novels, he's writing poetry.

4. L'infinitif négatif: On garde ensemble, devant l'infinitif et un pronom complément, les deux parties d'un adverbe de négation.

Il vaut mieux ne pas les regarder.	It is better not to look at them.
J'ai envie de ne rien faire.	I want to do nothing.

MAIS:

Elle ne fait que parler.	She does nothing but talk.

5. Phrase sans verbe: Seulement la deuxième partie de la négation s'emploie, excepté pour **ne . . . que,** qui s'emploie exclusivement avec un verbe.

Pas de chance!	No luck!
Pas de pain aujourd'hui.	No bread today.
Personne.	No one.
Rien de bon, rien de mauvais.	Nothing good, nothing bad.
Plus de grammaire!	No more grammar!
Il n'y a que lui.	He's the only one.
Mais il n'y a pas que lui.	But he's not the only one.

Exercices

1. *Ajoutez une négation différente à chaque phrase:*

1. J'ai travaillé.
2. Il voudrait partir.
3. Elle avait raison.
4. Nous avons compris.
5. Vous avez bien étudié.
6. Avez-vous beaucoup voyagé?
7. Ont-ils trouvé ce qu'ils cherchaient?
8. Il faudrait qu'il aille à la maison.
9. Je veux voir.
10. Voulez-vous aller avec moi?

2. *Traduisez:*

1. He has hardly any appetite.
2. He never understands very quickly.
3. I see neither a house nor a mouse (*souris*, f.).
4. They no longer understand me.
5. I have nothing to do with them.
6. Nobody loves as completely as a mother.
7. He never does anything as quickly as I.
8. There is only one.
9. I hope never to see them again.
10. She only frets (*se tourmenter*).
11. Not even a mouse.
12. It would be annoying (*embêtant*) not to have some.
13. He talks only English, and that badly.
14. He never notices anything any more.
15. Those are oysters (*huître*, f.) not mussels (*moule* f.).

Troisième Partie

IDIOTISMES ET FAUX AMIS

CHAPITRE XXXI

Idiotismes

Un **idiotisme** est une façon de parler. Le langage peut être concret ou figuré. Des langues peuvent souvent avoir les mêmes idiotismes.

avoir besoin de — **to have need of**
faire froid — **far freddo** (italien)

Un **gallicisme** est un idiotisme particulier à la langue française. Les locutions suivantes sont réunies simplement selon leurs ressemblances syntaxiques.

LOCUTIONS VERBALES

aller bien to be (go) well
mal to feel bad, go badly
tout droit to go straight ahead
aller à cheval to ride, go on horseback
à pied to walk, go afoot
à la rencontre de to go to meet
aux provisions to go marketing, do one's marketing
etc.
ça va all right
ça (cela) va sans dire that goes without saying
allons donc! nonsense! now, now!
avoir à + *inf.* to be obliged, have to, must
avoir beau + *inf.* to keep on doing something without result. **J'ai beau l'expliquer, vous ne comprenez pas.** I explain and explain and you don't understand.

avoir chaud to be hot (personnes)
faim to be hungry
froid to be cold (personnes)
lieu to take place
mal to hurt (intransitif). **J'ai mal.** It hurts. **J'ai mal à la tête.** My head hurts.
un an, dix ans, etc. to be a year old, etc.
etc.

avoir besoin de to need, have need of
envie de to want, like (to)
hâte de to be in a hurry to
lieu de to have cause to
peur (de) to fear, be afraid (of)
pitié (de) to pity
raison (de) to be right (personnes)
soif (de) to be thirsty (for)
tort (de) to be wrong (personnes)
etc.

avoir l'air (de) to appear, seem
la chance de to have the good luck to
de la chance to be lucky
l'intention de to intend to, mean to, plan on
etc.
il y a ago
il n'y a pas de quoi you're welcome
qu'y a-t-il? what's the matter? what's wrong?
qu'avez-vous? what's the matter with you?

demander pardon (à quelqu'un) de to beg (someone's) pardon

dire: à vrai dire to tell the truth, to be frank
pour ainsi dire so to speak

donner congé à to dismiss
un congé à to give a holiday to
son congé à to dismiss, "fire" (someone)
raison à to agree with, side with
rendez-vous à to give an appointment to
etc.

dresser une liste to draw up a list

être abruti to be done up, exhausted
mort " " " " "
rendu " " " " "
bien to be comfortable (somewhere)
bien mis to be well dressed
à sec (de) to be out of, "broke"
au courant (de) to be up to date (on), posted (on)
d'accord to agree
de bonne (mauvaise) humeur to be in a good (bad) humor
de retour to be back
de service to be on duty
en colère to be angry
etc.
ça y est! that's that! now you've done it!

faire attention (à) to pay attention (to)
beau (temps) to be nice (weather). **Il fait beau.**
faillite to fail in business
jour to be light. **Il fait jour.**
mal (à) to hurt, be painful. **Cela (me) fait mal.** It hurts. **La brute m'a fait mal.** The brute hurt me.
mauvais (temps) to be bad weather
naufrage to be shipwrecked
nuit to be dark, night. **Il fait nuit.**
partie de to be a part of, belong to (as of a group)
peur (à) frighten (someone)
pitié (à) to cause (excite) pity; be disgusting
plaisir (à) to give (cause) pleasure (to someone), please (someone)
semblant de to pretend to
signe to beckon
tapisserie to be a wallflower
tort à to wrong
etc.

faire une course, des courses to do an errand, errands
une partie de to play a game of
un pique-nique to go on (have) a picnic
une promenade to take a walk
un reproche à, des reproches à to reproach, take exception to

faire un tour to take (go for) a walk
un voyage to take a trip
etc.

faire la cour (à) to make love (to)
l'important, le modeste, etc. to try to be important, modest, etc.
la queue to stand in line
etc.

faire de la peine à to hurt (grieve) someone
de la réclame to advertise
du soleil, du vent, etc. to be sunny, windy, etc. **Il fait du soleil.**
du sport to do (go in for) sports
des affaires to do business
des difficultés to make a fuss
des emplettes to shop
etc.

faire son affaire to be just what one needs
son droit to study law
ses études to get an education
sa médecine to study medicine
etc.

s'en faire to worry, fret. **Ne vous en faites pas.**
Qu'est-ce que cela me fait? What does that matter to me? What's that to me?
Cela ne se fait pas. That's not done, not good form.

importer to be of importance, to matter
n'importe comment no matter how, in any way whatsoever
où no matter where, anywhere at all
quand no matter when, any time
quel livre, quelle heure, etc. any book, any time whatever, etc.
qui no matter who, anybody
quoi no matter what, anything
etc.

manquer to miss. **Manquer un repas.**
manquer à + *nom ou pronom* to be missing to. **Vous me manquez.** I miss you.

manquer de + *nom* to be lacking in. **Il ne manque pas de toupet.** He doesn't lack nerve.
manquer de + *inf.* to fail to do, almost do (something). **J'ai manqué de le faire.** I failed to do it, almost did it.

mettre le couvert to set the table
le feu (à) to light, set fire to, set on fire
etc.

mettre à la raison to bring to one's senses
à son aise to put at one's ease, make one feel at home
au courant (de) to acquaint (with), bring up to date
au régime to put on a diet
en boîte to poke fun at, make a fool, a monkey, of
en pratique to put to use
en vente to put up for sale
etc.

pouvoir: n'en pouvoir plus to be exhausted

prendre congé (de) to take leave (of)
garde (de) to be careful (not to), pay attention to. **Prenez garde!** Be careful! **Prenez garde de tomber.** Be careful not to fall.
part à to take part in
patience to have patience, be patient
en grippe to take a dislike to
etc.
à tout prendre on the whole
s'en prendre à quelqu'un de to lay the blame on someone for. **Il ne faut pas s'en prendre aux autres de ses propres fautes.** One shouldn't lay the blame on others for one's own mistakes.
s'y prendre (bien, mal) to go about a thing (well, badly)

savoir gré à quelqu'un de to feel grateful to someone for. **Il me saura gré de le prévenir.** He'll be grateful to me for warning him.

servir to serve. **Voulez-vous que je serve le potage?**
servir de + *nom* to serve as, for. **Cette pièce servira de chambre.** This room will serve as a bedroom.
servir à + *inf.* to serve to, be used for. **Un crayon sert à écrire.** A pencil is used for writing.

tenir à + *nom, pronom, ou inf.* to insist upon, be fond of, be anxious to. **Il tient à leur dire leur fait.** He insists on telling them off. **La petite tient à cette poupée-là.** The little girl is fond of that doll.

tenir de + *nom* to inherit from, take after. **Il tient de son oncle.** He takes after his uncle.

tirer: tirer parti de to use to advantage
se tirer d'affaire / **s'en tirer** to get along, get out of a difficulty. **Il s'en tire tant bien que mal.** He gets along after a fashion.

vouloir bien to be willing. **Je veux bien.** I am willing. **Voulez-vous bien le lui dire?** Will you please tell him?

vouloir dire to mean

en vouloir à quelqu'un (de) to have a grudge against someone (for). **On lui en veut de ses critiques.** They have a grudge against him for his criticism.

LOCUTIONS NON VERBALES

à bicyclette on a bicycle
bout de forces exhausted
côté nearby. (*voir aussi* **côté**)
droite on the right
fond thoroughly, completely
gauche on the left
genoux on one's knees
haute voix aloud, out loud
peine scarcely, hardly
perte de vue as far as the eye can reach
peu près pretty nearly, just about
point fitly, properly, to a turn
propos fitting, opportunely, by the way
quoi bon? what's the use?
temps (pour) in time (to)
tort wrongly, unjustly
tort et à travers at random

à tort ou à raison right or wrong
tout hasard at all events
toute vitesse at full speed
voix basse in a low tone
etc.

à l'avance in advance, beforehand
l'aventure at random
la française, à l'anglaise, à l'américaine, etc. in the French way, etc.
etc.

au bout (de) after, at the end (of)
fond in reality, at heart, back stage
fond (de) at the back of, bottom of
feu! fire!
secours! help!
voleur! stop thief!
hasard at random
loin far off, afar, in the distance
point right, finished
etc.

bon gré mal gré whether one wishes or not, willy-nilly

bras dessus, bras dessous arm in arm

côté: à côté near, nearby
à côté de beside, next to
de côté sideways, aslant
du côté de in the direction of, toward
de l'autre côté (de) on the other side (of)
etc.

coup: un coup de brosse a brushing
de dents bite, snap
d'état sudden revolutionary measure
de fusil shot
de hasard mere chance
d'œil glance
de pied kick
de soleil sunstroke
de téléphone telephone call
de tête rash act

de théâtre surprise, unlooked-for incident
de vent squall, gust of wind, blast
etc.

d' accord granted, agreed
après according to
autre part besides, in addition
ordinaire usually, for the most part
etc.

de loin at a distance
près at close range, close up
etc.

en auto by auto
bas below
bateau in a boat, by boat
effet in fact, indeed, quite so
prison in prison
retard late
route on the way. **En route!** Let's go! Let's be off!
voyage on a trip, traveling
etc.

fois: à la fois at the same time
encore une fois once more
il y avait une fois once upon a time
une fois pour toutes once for all
une fois n'est pas coutume one swallow doesn't make a summer
etc.

même: de même likewise
quand même notwithstanding, all the same
tout de même just the same, nevertheless
etc.

tant mieux so much the better
pis so much the worse
bien que mal after a fashion, so-so
soit peu ever so little

temps: de temps à autre from time to time, occasionally
de temps en temps from time to time, occasionally

du temps de in the time of
en même temps (que) at the same time (as)
en un rien de temps in no time at all
etc.

tout à coup suddenly, all of a sudden
fait quite, completely
l'heure presently, after a while; a while ago
etc.

tout: tout de suite at once
tout d'un coup all at once, all at the same time
tout haut aloud
tous les jours, toutes les semaines, etc. every day, every week, etc.
tous les deux jours every other day
tous les combien? how often?
à tout à l'heure until later
à tout hasard at all events
du tout not at all
etc.

RÉPETITION DU MOT

des années et des années years and years
de branche en branche from branch to branch
de rue en rue from street to street
côte à côte side by side
coûte que coûte cost what it may
pas à pas step by step
petit à petit little by little, bit by bit
peu à peu little by little, bit by bit
etc.

CHAPITRE XXXII

Faux Amis

Les «faux amis» sont des mots français qui existent en anglais ou suggèrent un mot anglais, mais qui n'ont pas le même sens qu'en anglais.

Les plus usités de ces faux amis sont réunis ici dans deux listes. La première (A) se compose de mots qui ne correspondent d'ordinaire en aucun sens au mot anglais. La deuxième (B) se compose de mots dont le sens le plus courant est différent de celui du mot anglais, mais qui peuvent correspondre dans des sens particuliers.

LISTE A

actuel *adj.* present, current. (actual = **vrai, véritable**) **Quelle est son adresse actuelle?**

actuellement *adv.* at present, now. (actually = **vraiment**)

argument *m.* reasoning, summary. (argument = **discussion, dispute,** *f.*)

avis *m.* opinion. (advice = **conseil,** *m.*)

aviser to catch a glimpse of, spot. (to advise = **conseiller**)

s'aviser de quelque chose to get the notion, think of something, doing something. **Elle s'est avisée d'une ruse diabolique.**

blesser to wound. (to bless = **bénir**)

cave *f.* cellar. (cave = **caverne,** *f.*)

chair *f.* flesh. (chair = **chaise** *f.*; chair = armchair = **fauteuil** *m.*)

coin *m.* corner. (coin = **pièce de cinq francs,** etc.)

consistant *adj.* firm, solid, *en parlant de choses.* (consistent = **conséquent**)

demander to ask, ask for. (to demand = **exiger, réclamer**)

dérober (à) to steal; hide something (from someone). (to disrobe = **déshabiller)**
dresser to erect, set up, draw up. (to dress = **habiller)**
emphase *f.* pomposity, bombast. (emphasis = **insistance** *f.*; *ou une locution verbale:* **souligner, appuyer sur, insister sur)**
emphatique *adj.* pompous, bombastic. (emphatic = **énergique, positif, absolu, net,** etc.)
fastidieux *adj.* dull, tedious, irksome. (fastidious = **difficile; délicat)**
fat *adj.* conceited. (fat = **gras, gros)**
figurer to represent; appear. (to figure, *arith.* = **calculer)**
filer to make off, disappear. (to file = classify = **classer)**
franchise *f.* frankness. (franchise = **privilège, droit,** *m.*)
génial *adj.* ingenious, inspired. (genial = **sympathique, bienveillant)**
grade *m.* rank. (grade = **qualité** *f.*, **classe** *f.*, **note** *f.*)
gros, grosse *adj.* big, stout. (gross = **grossier)**
inconséquent *adj.* inconsistent
infect *adj.* vile, foul, awful. (infected = **contaminé)**
injure *f.* insult. (bodily injury = **mal** *m.*, **blessure** *f.*)
journée *f.* day. (journey = **voyage** *m.*)
labour *m.* tilling, plowing. (labor = **travail** *m.*)
labourer to till, plow. (to labor = **travailler;** to labor = to slave = **peiner)**
laboureur *m.* farmer who tills. (laborer = **travailleur, manœuvre, ouvrier** *m.*)
lancer to throw, start, launch. (to lance = **percer)**
large *adj.* broad, wide. (large = **grand)**
lecture *f.* reading. (lecture = **conférence** *f.*)
librairie *f.* bookstore. (library = **bibliothèque** *f.*)
location *f.* renting, hiring. (location = **situation** *f.*; *mais d'ordinaire une locution verbale:* **se trouver, être situé)**
luxure *f.* lust; voluptuousness. (luxury = **luxe** *m.*)
luxurieux *adj.* lustful, voluptuous. (luxurious = **luxueux)**
machiner to plot, cook up, devise. (to machine = **façonner)**
ménage *m.* housekeeping; married couple. (to manage = direct = **diriger;** to manage = arrange = **arranger;** to manage = get along = **s'arranger, se débrouiller)**
ménager to save, be sparing of; handle with care; contrive. (manager = **directeur, gérant** *m.*)

Il sait ménager ses forces.

C'est une personne qu'il faut ménager.

Il faut ménager une sortie (exit).

messe *f.* mass, *rel.* (mess = **saleté** *f.*, **désordre** *m.*, **pétrin** *m.*, **salade** *f.*)

misère *f.* extreme poverty. (misery = **détresse** *f.*; in misery = **malheureux, dans la détresse, au supplice**)

moral *m.* morale

Le moral des troupes est superbe.

morale *f.* moral; morals

Cette fable a une morale très utile.

C'est une question de morale, pas de politique.

redouter to dread, fear

rente *f.* *d'ordinaire au pluriel:* income. (rent = **loyer** *m.*)

rester to remain. (to rest = **se reposer**)

retourner to go back. (return = give back = **rendre**)

romance *f.* sentimental song. (romance = **idylle** *f.*)

rude *adj.* rough, tough. (rude = **mal élevé, grossier**)

sort *m.* fate. (sort = **espèce** *f.*, **genre** *m.*, **sorte** *f.*)

sympathique *adj.* likable, appealing. (sympathetic = **compatissant, bienveillant**)

tromper to deceive

user to wear out. (to use = **employer, se servir de, user de**)

vent *m.* wind

veste *f.* coat of a suit, jacket. (vest = **gilet** *m.*)

vilain *adj.* ugly; bad. (villain = **scélérat** *m.*)

voyage *m.* trip, journey. (voyage = **voyage sur mer**)

wagon *m.* *s'emploie presque uniquement dans des expressions comme* **wagon-lit** (sleeping car), **wagon-restaurant** (diner), **wagon-bar** (club car), etc.: *au pluriel:* **wagons-lits; wagons-bars,** etc. (wagon = **charrette** *f.*)

LISTE B

ancien *adj.* *devant le substantif* = former

assistant(e) *m., f.* bystander, spectator. (assistant = **aide, adjoint(e)** *m., f.*)

assister à to be present at, attend. (to assist = **aider**)

audience *f.* hearing, interview. (audience = **assistance** *f.*, **public, spectateurs** *m.*)

chance *f.* luck. (chance = opportunity = **occasion** *f.*)
commande *f.* order. (command = **ordre** *m.*)
commander to order; command. (command = **ordonner, commander.** *Ordonner est plus fort comme expression que commander.*)
Elle a commandé trois robes.
Le colonel commande un régiment.
Le capitaine leur a commandé de se retirer.
commission *f.* errand *aussi bien que* commission
concurrence *f.* competition *aussi bien que* concurrence
conférence *f.* lecture *aussi bien que* conference
contrarier to vex *aussi bien que* to oppose
déception *f.* disappointment (deception = **tromperie, supercherie** *f.*)
défendre to forbid *aussi bien que* to defend
défense *f.* prohibition *aussi bien que* defense.
Défense de fumer. No smoking.
disposition *f.* arrangement, laying out; arrangements; aptitude, predisposition *aussi bien que* disposition = disposal. (disposition = personality, mood = **caractère, naturel** *m.*, **humeur** *f.*)
Quelle est la disposition des meubles?
Prenez les dispositions que vous voudrez.
Le garçon annonçait d'heureuses dispositions. The lad showed fine promise.
embrasser to kiss *aussi bien que* to embrace
enfance *f.* childhood. (infancy = **première enfance**)
enfant *m.*, *f.* child, youngster. (infant = **enfant de premier âge, de bas âge**)
extravagant *adj.* rash, wild, crazy, extravagant = wild. (extravagant = spending excessively = **dépensier**)
figure *f.* face *aussi bien que* figure. (figure = shape = **silhouette, taille** *f.*)
fin(e) *adj.* *choses:* delicate, of fine workmanship; *personnes:* sensitive, of fine sensibilities. (fine = splendid = **magnifique, bon, beau,** etc.)
folie *f.* madness *aussi bien que* folly
front *m.* forehead. (front = **devant, avant,** *m.*)
hôte, hôtesse, *m.*, *f.* guest *aussi bien que* host
ignorer to be ignorant of. (to ignore = **ne pas faire attention à, ne pas reconnaître, ne pas répondre,** etc.)
image *f.* picture *aussi bien que* image.

magasin *m.* shop *aussi bien que* magazine of a firearm. (printed magazine = **revue** *f.*, **magazine** *m.*)

marche *f.* step of a stair; walking; working *aussi bien que* march, marching.

mémoire *m.* note, account *aussi bien que* memoir.

mémoire *f.* memory as the faculty. (memory of a thing = **souvenir** *m.*)

Il a une mémoire excellente.

Je n'ai aucun souvenir de cette journée.

office *m.* function; service. (office = **bureau** *m.*)

Quel office fait-il? What is his function?

C'est l'Office des Informations.

Où est son bureau?

office *f.* pantry

ordonner to command. (to order = **commander,** etc.; *voir* **commander)**

Il lui a ordonné de se retirer.

ordre *m.* order *ou* command *qui ne permet d'aucune discussion.* (order = **commande;** *voir* **commande)**

Les ordres étaient formels. The orders were explicit.

L'ordre de tirer fut entendu. The command to fire was heard.

parade *f.* show, ostentation; pomp. (parade = **défilé** *m.*)

Faire parade de ses cadeaux. To show off his presents.

parent(e) *m., f.* relative *aussi bien que* parents *m. pl.* (parent = **père, mère)**

part *f.* share, portion. (a part of = **partie** *f.*)

parti *m.* political party, group; decision. (party = recreation = **réception, soirée, fête** *f.*, etc.)

Le parti socialiste.

Il faut prendre un parti. One must make up one's mind.

particulier *adj.* private *aussi bien que* particular, special. (particular = fussy = **difficile, exigeant, méticuleux)**

partie *f.* part, part of; outing

La plus grande partie a disparu.

On organisait une partie de plaisir.

patron, patronne *m., f.* owner, boss *aussi bien que* patron = benefactor. (patron of a shop, customer = **client(e)** *m., f.*)

phrase *f.* sentence. (phrase = **locution** *f.*)

point *m.* point, *en parlant du temps ou de l'espace.* (point of an object = **pointe** *f.*; of a question, story, etc. = **rapport** *m.*, *mais s'exprime d'ordinaire de diverses autres façons*):

Je ne comprends pas. I don't see the point.

Où voulez-vous en venir? What is the point, what are you driving at?

A quoi bon faire cela? What's the point of doing that?

etc.

poste *m.* situation, position, post. (post = object = **poteau** *m.*)

poste *f.* mail service, post office

presser to urge *aussi bien que* press. (to press clothes = **repasser, donner un coup de fer à**)

prétendre to claim, maintain. (to pretend = make believe = **faire semblant de**)

propre *adj.* clean *aussi bien que* proper = itself. (proper = well-behaved = **comme il faut, correct**)

relation *f.* relation, relationship. (relation, relative = **parent(e)** *m., f.*)

sauvage *adj.* wild, uncivilized, unsociable. (savage = fierce = **féroce, furieux**)

sensible *adj.* sensitive. (sensible = **sensé**)

spirituel *adj.* witty *aussi bien que* spiritual

susceptible *adj.* touchy *aussi bien que* susceptible

terme *m.* end *aussi bien que* term = expression. (term = period of time = **période** *f.*, **semestre** *m.*, **trimestre** *m.*, etc.)

visite *f.* inspection *aussi bien que* visit

visiter to inspect, examine, search. (visit = **faire, rendre visite à, être en visite**)

vulgaire *adj.* ordinary, common, of the people. (vulgar = unrefined = **grossier, commun**)

Quatrième Partie

CONJUGAISON DU VERBE

CHAPITRE XXXIII

Formation des Temps du Verbe

Les cinq temps primitifs (*principal parts*) du verbe français sont l'infinitif, le participe présent, le participe passé, la première personne du singulier de l'indicatif présent et la même personne du passé défini.

Tous les temps du verbe dérivent de ces cinq temps primitifs et s'appellent les temps dérivés du verbe. Pour les verbes des trois conjugaisons régulières (infinitif en **-er, -ir, -re**), les temps se forment d'après les indications ci-dessous.

Pour les verbes irréguliers les temps se forment de leurs propres temps primitifs de la même façon, excepté pour les formes irrégulières qui sont indiquées sous leurs temps primitifs.

TEMPS PRIMITIFS	TÉMPS DÉRIVÉS		
Infinitif	futur conditionnel prés.	=	infinitif plus terminaisons (**e** final tombe de l'inf. en **-re**)
Participe Présent	pluriel du présent imparfait subjonctif présent	=	participe présent moins **-ant** plus terminaisons
Participe Passé	passé composé = présent plus-que-parfait = imparfait passé antérieur = passé défini futur antérieur = futur conditionnel antérieur = conditionnel subjonctif passé = subj. présent subj. plus-que-parf. = subj. imparfait infinitif passé = infinitif participe composé = participe présent		du verbe auxiliaire plus participe passé
Présent, 1e s.	singulier du présent = racine de l'infinitif plus terminaisons impératif = 2e s., 1e et 2e pl. du présent, sans pronoms sujets		
Passé Défini, 1e s.	passé défini = racine de l'infinitif plus terminaisons subjonctif imparfait = 5e temps primitif moins la dernière lettre plus terminaisons		

VERBES MODÈLES DES TROIS CONJUGAISONS RÉGULIÈRES

Infinitif { 1e: **parler**, 2e: **finir**, 3e: **perdre**	*Participe Présent* { **parlant**, **finissant**, **perdant**

Futur

je		**ai**
tu		**as**
il	**parler**	**a**
nous	**finir**	**ons**
vous	**perdr**	**ez**
ils		**ont**

Pluriel du Présent

nous	**parl**	[ant]	**ons**
vous	**finiss**	["]	**ez**
ils	**perd**	["]	**ent**

Conditionnel Présent

je		**ais**
tu		**ais**
il	**parler**	**ait**
nous	**finir**	**ions**
vous	**perdr**	**iez**
ils		**aient**

Imparfait

je			**ais**
tu			**ais**
il	**parl**	[ant]	**ait**
nous	**finiss**	["]	**ions**
vous	**perd**	["]	**iez**
ils			**aient**

Subjonctif Présent

que je			**e**
que tu			**es**
qu'il	**parl**	[ant]	**e**
que nous	**finiss**	["]	**ions**
que vous	**perd**	["]	**iez**
qu'ils			**ent**

VERBES MODÈLES DES TROIS CONJUGAISONS RÉGULIÈRES

Participe Passé	*Présent*	*Passé Défini*
parlé	je **parle**	je **parlai**
fini	je **finis**	je **finis**
perdu	je **perds**	je **perdis**

Passé Composé [1]

j'ai parlé, etc.

Plus-que-parfait

j'avais parlé, etc.

Passé Antérieur

j'eus parlé, etc.

Futur Antérieur

j'aurai parlé, etc.

Conditionnel Antérieur

j'aurais parlé, etc.

Subjonctif Passé

que **j'aie parlé,** etc.

Subjonctif Plus-que-parfait

que **j'eusse parlé,** etc.

Infinitif Passé

avoir parlé

Participe Composé

ayant parlé

Singulier du Présent

1e: **parle**
je, etc. **es**
e

2e: **finis**
je, etc. **is**
it

3e: **perds**
je, etc. **s**
—

Impératif

1e: **parle** [2]
parlons
parlez

2e: **finis**
finissons
finissez

3e: **perds**
perdons
perdez

Passé Défini

1e: **parlai**
je, etc. **as**
a
âmes
âtes
èrent

2e et 3e: **is**
je, etc. **is**
fin **it**
perd **îmes**
îtes
irent

Subjonctif Imparfait

que je, etc. **sse**
sses
parla [i] **^t**
fini [s] **ssions**
perdi [s] **ssiez**
ssent

---

[1] Pour les temps du verbe **avoir,** voir le chapitre suivant.

[2] Le **s** de la 2e personne du singulier n'est employé que devant **y** et **en:**
Parles-en au chef de gare. Speak to the stationmaster about it.
Donnes-y un coup de brosse. Give it a brushing.

CHAPITRE XXXIV

Verbes Auxiliaires avoir, être

AVOIR

Futur

j'aurai
as
a
ons
ez
ont

Conditionnel Présent

j'aurais
ais
ait
ions
iez
aient

ayant

Pluriel du Présent

nous **avons**
vous **avez**
ils **ont**

Imparfait

j'avais
ais
ait
ions
iez
aient

Subjonctif Présent

que j' **aie**
que tu **aies**
qu'il **ait**
que nous **ayons**
que vous **ayez**
qu'ils **aient**

eu

Passé Composé

j'ai eu, etc.

Plus-Que-Parfait

j'avais eu, etc.

Passé Antérieur

j'eus eu, etc.

Futur Antérieur

j'aurai eu, etc.

Conditionnel Antérieur

j'aurais eu, etc.

Subjonctif Passé

que j'**aie eu,** etc.

Subjonctif Plus-que-parfait

que j'**eusse eu,** etc.

Infinitif Passé

avoir eu

Participe Composé

ayant eu

j' **ai**
tu **as**
il **a**

Impératif

aie
ayons
ayez

j' **eus**
tu **eus**
il **eut**
nous **eûmes**
vous **eûtes**
ils **eurent**

Subjonctif Imparfait

que j' **eusse**
que tu **eusses**
qu'il **eût**
que nous **eussions**
que vous **eussiez**
qu'ils **eussent**

ÊTRE

étant

Futur

je **serai**
as
a
ons
ez
ont

Conditionnel Présent

je **serais**
ais
ait
ions
iez
aient

Pluriel du Présent

nous **sommes**
vous **êtes**
ils **sont**

Imparfait

j' **étais**
ais
ait
ions
iez
aient

Subjonctif Présent

que je **sois**
que tu **sois**
qu'il **soit**
que nous **soyons**
que vous **soyez**
qu'ils **soient**

été	je **suis**	je **fus**
	tu **es**	tu **fus**
Pour les temps composés, voyez le verbe **avoir.**	il **est**	il **fut**
		nous **fûmes**
		vous **fûtes**
		ils **furent**
	Impératif	
	sois	
	soyons	
	soyez	*Subjonctif Imparfait*
		que je **fusse**
		que tu **fusses**
		qu'il **fût**
		que nous **fussions**
		que vous **fussiez**
		qu'ils **fussent**

CHAPITRE XXXV

Verbes Irréguliers

Excepté pour les temps primitifs et les formes irrégulières, les temps sont formés comme pour les verbes réguliers. Quelques verbes irréguliers peu usités ne figurent pas dans cette liste.

1. **acquérir** to acquire

acquérir	**acquérant**	**acquis**	**j'acquiers**	**j'acquis**
Futur	*Ind. Prés.*		**s**	
j'acquerrai, etc.	**ils acquièrent**		**t**	
Cond. Prés.	*Subj. Prés.*	NOTE: **é** se change en **è** devant un **e** muet.		
j'acquerrais, etc.	**que j'acquière**			
	es			
	e			
	ent			

Aussi: **conquérir** to conquer

---

2. **aller** to go

aller	**allant**	**allé**	**je vais**	**j'allai**
Futur	*Ind. Prés.*	(*avec* **être**)	**tu vas**	
j'irai, etc.	**ils vont**		**il va**	
Cond. Prés.	*Subj. Prés.*			
j'irais, etc.	**que j'aille**			
	es		*Impératif*	
	e		**va**	
	ent		MAIS: **vas-y**	

---

3. s'asseoir to sit down

s'asseoir	**s'asseyant**	**assis**	**je m'assieds**	**je m'assis**
Futur			**s**	
je m'assiérai, etc.			**–**	
Cond. Prés.				
je m'assiérais, etc.				

---

4. battre to strike, beat

battre	**battant**	**battu**	**je bats**	**je battis**
			s	
			–	

Aussi: **se battre** to fight **combattre** to combat

---

5. boire to drink

boire	**buvant**	**bu**	**je bois**	**je bus**
	Ind. Prés.			
	ils boivent			
	Subj. Prés.			
	que je boive			
	es			
	e			
	ent			

---

6. conclure to conclude

conclure	**concluant**	**conclu**	**je conclus**	**je conclus**

Aussi: **exclure** to exclude

---

7. conduire to drive, lead

conduire	**conduisant**	**conduit**	**je conduis**	**je conduisis**

Aussi: **construire** to construct
cuire to cook
déduire to deduce
détruire to destroy
instruire to instruct
introduire to introduce
produire to produce
réduire to reduce
traduire to translate

---

8. connaître to be acquainted with

connaître	**connaissant**	**connu**	**je connais** **tu connais** **il connaît**	**je connus**

Aussi: **apparaître** to appear, become apparent
disparaître to disappear
paraître to appear
reconnaître to recognize
reparaître to reappear

---

9. courir to run

courir *Futur* **je courrai,** etc. *Cond. Prés.* **je courrais,** etc.	**courant**	**couru**	**je cours** **s** **t**	**je courus**

Aussi: **accourir** to run up, rush up (*avec* **être**)
concourir to compete
discourir to discourse
parcourir to travel through
secourir to succor, give aid

---

10. couvrir to cover

couvrir	**couvrant**	**couvert**	**je couvre** *Impératif* **couvre**	**je couvris**

Aussi: **découvrir** to discover
offrir to offer
ouvrir to open
souffrir to suffer

---

11. craindre to fear

craindre	**craignant**	**craint**	**je crains** **s** **t**	**je craignis**

Aussi: tous les verbes terminés en **-aindre, -eindre, -oindre**
ceindre to gird
feindre to pretend
joindre to join
peindre to paint
plaindre to pity
etc.

---

12. croire to believe

croire	**croyant**	**cru**	**je crois**	**je crus**

NOTE: **y** se change en **i** devant un **e** muet pour: **croire, envoyer, fuir, pourvoir, voir.** Voyez le verbe **voir.**

---

13. croître to grow

croître	**croissant**	**crû (crue)** **(crus)** **(crues)**	**je croîs**	**je crûs**

NOTE: L'accent circonflexe s'emploie au participe passé, m. s., aux trois personnes du singulier de l'ind. prés. et à toutes les personnes du futur, du conditionnel, du passé défini et du subjonctif imparfait.

---

14. cueillir to pick

cueillir	**cueillant**	**cueilli**	**je cueille**	**je cueillis**

Futur
je cueillerai, etc.
Cond. Prés.
je cueillerais, etc.

Aussi: **accueillir** to receive, greet **recueillir** to gather

---

15. devoir owe, must, ought, etc.

devoir	**devant**	**dû (due)** **(dus)** **(dues)**	**je dois**	**je dus**
Futur	*Ind. Prés.*			
je devrai, etc.	**ils doivent**			
Cond. Prés.	*Subj. Prés.*			
je devrais, etc.	**que je doive** **es** **e** **ent**			

---

16. dire to say

dire	**disant**	**dit**	**je dis**	**je dis**
	Ind. Prés.			
	vous dites			

Aussi: **redire** to say again

NOTE: **contredire, dédire** (*contradict*), **interdire** (*forbid*), **médire** (*slander*), **prédire** sont réguliers excepté pour les temps primitifs qui sont comme **dire: contredisez, dédisez, médisez. Maudire** (*curse*), a le participe présent **maudissant** et se conjugue régulièrement.

---

17. dormir to sleep

dormir	**dormant**	**dormi**	**je dors**	**je dormis**
			s	
			t	

Aussi: **bouillir** to boil (*bouillant, bouilli, je bous, je bouillis*)

	sentir to feel
mentir to lie	**servir** to serve
partir to leave (*avec* **être**)	**sortir** to go out (*avec* **être**)
se repentir to repent	etc.

---

18. écrire to write

écrire	**écrivant**	**écrit**	**j'écris**	**j'écrivis**

Aussi: **décrire** to describe — **transcrire** to transcribe
inscrire to inscribe — etc.

---

19. émouvoir to move, touch

émouvoir	**émouvant**	**ému**	**j'émeus**	**j'émus**
Futur	*Ind. Prés.*		**s**	
j'émouvrai, etc.	**ils émeuvent**		**t**	
Cond. Prés.	*Subj. Prés.*			
j'émouvrais, etc.	**que j'émeuve**			
	es			
	e			
	ent			

20. envoyer to send

envoyer	**envoyant**	**envoyé**	**j'envoie**	**j'envoyai**
Futur	*Ind. Prés.*			
j'enverrai, etc.	**ils envoient**			
Cond. Prés.	*Subj. Prés.*			
j'enverrais, etc.	**que j'envoie**			
	es			
	e			
	ent			

NOTE: **y** se change en **i** devant une terminaison muette.

Aussi: **renvoyer** to send back, send away

---

21. faire to do, make

faire	**faisant**	**fait**	**je fais**	**je fis**
Futur	*Ind. Prés.*			
je ferai, etc.	**vous faites**			
Cond. Prés.	*Subj. Prés.*			
je ferais, etc.	**que je fasse**			
	es			
	e			
	ions			
	iez			
	ent			

Aussi: **contrefaire** to imitate, counterfeit
défaire to undo, defeat
refaire to do over
satisfaire to satisfy

---

22. falloir must, have to, ought; *verbe impersonnel, 3e singulier*

falloir	–	**fallu**	**il faut**	**il fallut**
Futur	*Imparfait*			
il faudra	**il fallait**			
Cond. Prés.	*Subj. Prés.*			
il faudrait	**qu'il faille**			

---

23. fuir to flee

fuir	**fuyant**	**fui**	**je fuis**	**je fuis**
	Ind. Prés.			
	ils fuient	NOTE: **y** se change en **i** devant un **e** muet.		
	Subj. Prés.			
	que je fuie **es** **e** **ent**			

Aussi: **s'enfuir** to run away, flee

---

24. haïr to hate, despise

haïr	**haïssant**	**haï**	**je hais**	**je haïs**

---

25. lire to read

lire	**lisant**	**lu**	**je lis**	**je lus**

Aussi: **élire** to elect **relire** to reread

---

26. mettre to put, place

mettre	**mettant**	**mis**	**je mets** **s** **—**	**je mis**

Aussi: **admettre** to admit **remettre** to put back
commettre to commit **soumettre** to submit
promettre to promise etc.

---

27. mourir to die

mourir	**mourant**	**mort**	**je meurs** **s** **t**	**je mourus**
Futur	*Ind. Prés.*	(*avec* **être**)		
je mourrai, etc.	**ils meurent**			
Cond. Prés.	*Subj. Prés.*			
je mourrais, etc.	**que je meure** **es** **e** **ent**			

---

28. naître to be born

naître	**naissant**	**né** (*avec* **être**)	**je nais** **tu nais** **il naît**	**je naquis**

Aussi: **renaître** to be reborn

---

29. nuire to harm

nuire	**nuisant**	**nui**	**je nuis**	**je nuisis**

Aussi: **luire** to shine, *mais sans le passé défini qui n'existe pas*

---

30. partir to leave. *Voyez* **dormir,** *mais avec* **être** *aux temps composés.*

---

31. plaire to please

plaire	**plaisant**	**plu**	**je plais** **tu plais** **il plaît**	**je plus**

Aussi: **se complaire** to take pleasure in
déplaire to displease

se taire to be silent (*sans accent circonflexe au présent*)

---

32. pleuvoir to rain; *verbe impersonnel, 3e singulier*

pleuvoir	**pleuvant**	**plu**	**il pleut**	**il plut**

Futur
il pleuvra
Cond. Prés.
il pleuvrait

---

33. pourvoir to provide

pourvoir	**pourvoyant**	**pourvu**	**je pourvois**	**je pourvus**

Futur
je pourvoirai, etc.
Cond. Prés.
je pourvoirais, etc.

NOTE: **y** se change en **i** devant un **e** muet.

34. pouvoir can, to be able, etc.

pouvoir	**pouvant**	**pu**	**je peux** *ou*	**je pus**
Futur	*Ind. Prés.*		**je puis**	
je pourrai, etc.	**ils peuvent**		**tu peux**	
Cond. Prés.	*Subj. Prés.*		**il peut**	
je pourrais, etc.	**que je puisse**			
	es			
	e			
	ions			
	iez			
	ent			

---

35. prendre to take

prendre	**prenant**	**pris**	**je prends**	**je pris**
	Ind. Prés.		**s**	
	ils prennent		**–**	
	Subj. Prés.	NOTE : Deux **n** devant un **e** muet.		
	que je prenne			
	es			
	e			
	ent			

Aussi: **apprendre** to learn, **comprendre** to understand, **entreprendre** to undertake, **reprendre** to take back, **surprendre** to surprise, etc.

---

36. recevoir to receive

recevoir	**recevant**	**reçu**	**je reçois**	**je reçus**
Futur	*Ind. Prés.*			
je recevrai, etc.	**ils reçoivent**			
Cond. Prés.	*Subj. Prés.*			
je recevrais, etc.	**que je reçoive**			
	es	NOTE : **ç** devant **o, u** seulement.		
	e			
	ent			

Aussi: **apercevoir** to perceive

---

37. se repentir to repent. *Se conjugue comme* **dormir,** *mais avec* **être.**

---

38. résoudre to resolve, to solve

résoudre	**résolvant**	**résolu**	**je résous**	**je résolus**
			s	
			t	

---

39. rire to laugh

rire	**riant**	**ri**	**je ris**	**je ris**

Aussi: **sourire** to smile

---

40. savoir to know

savoir	**sachant**	**su**	**je sais**	**je sus**
Futur	*Ind. Prés.*		*Impératif*	
je saurai, etc.	**nous savons**		**sache**	
Cond. Prés.	**vous savez**		**sachons**	
je saurais, etc.	**ils savent**		**sachez**	
	Imparfait			
	je savais			
	ais			
	ait			
	ions			
	iez			
	aient			

---

41. sortir to go out, *intrans.*; take out, *trans.*

Voyez **dormir.** *Si* **sortir** *s'emploie comme verbe intransitif il se conjugue avec* **être** *aux temps composés.*

---

42. suffire to suffice

suffire	**suffisant**	**suffi**	**je suffis**	**je suffis**

---

43. suivre to follow

suivre	**suivant**	**suivi**	**je suis**	**je suivis**

Aussi: **poursuivre** to pursue

---

44. tenir to hold, keep

tenir	**tenant**	**tenu**	**je tiens**	**je tins**
Futur	*Ind. Prés.*		**s**	**tu tins**
je tiendrai, etc.	**ils tiennent**		**t**	**il tint**
Cond. Prés.	*Subj. Prés.*			**nous tînmes**
je tiendrais, etc.	**que je tienne**			**vous tîntes**
	es			**ils tinrent**
	e			
	ent			

Aussi: **appartenir** to belong
entretenir to maintain, keep
maintenir to maintain
obtenir to obtain
retenir to retain, engage
soutenir to sustain

---

45. vaincre to overcome

vaincre	**vainquant**	**vaincu**	**je vaincs**	**je vainquis**
			s	
			–	

Aussi: **convaincre** to convince

---

46. valoir to be worth

valoir	**valant**	**valu**	**je vaux**	**je valus**
Futur	*Subj. Prés.*		**x**	
je vaudrai, etc.	**que je vaille**		**t**	
Cond. Prés.	**es**			
je vaudrais, etc.	**e**			
	ent			

Aussi: **prévaloir** to prevail, *mais le présent du subjonctif est régulier:* **prévale,** etc.

---

47. venir to come. *Se conjugue comme* **tenir,** *mais avec* **être.**

Aussi: tous les verbes qui dérivent de **venir** *sont conjugués comme* **tenir,** *mais avec l'auxiliaire* **être.**

---

48. vêtir to clothe, dress

vêtir	**vêtant**	**vêtu**	**je vêts**	**je vêtis**
			s	
			—	

---

49. vivre to live

vivre	**vivant**	**vécu**	**je vis**	**je vécus**

Aussi: **survivre** to survive **revivre** to relive, live again

---

50. voir to see

voir	**voyant**	**vu**	**je vois**	**je vis**
Futur	*Ind. Prés.*			
je verrai, etc.	**ils voient**	NOTE: **y** se change en **i** devant un **e** muet.		
Cond. Prés.	*Subj. Prés.*			
je verrais, etc.	**que je voie**			
	es			
	e			
	ent			

Aussi: **entrevoir** to glimpse **revoir** to see again

Prévoir to foresee, *se conjugue comme* **voir,** *excepté au futur et au conditionnel:* **prévoirai, prévoirais.**

---

51. vouloir to wish, want

vouloir	**voulant**	**voulu**	**je veux**	**je voulus**
Futur	*Ind. Prés.*		**x**	
je voudrai, etc.	**ils veulent**		**t**	
Cond. Prés.	*Subj. Prés.*			
je voudrais, etc.	**que je veuille**		*Impératif*	
	es		**veuille**	
	e		**veuillez**	
	ent			

CHAPITRE XXXVI

Changements Orthographiques de Certains Verbes

1. Règle générale pour les verbes se terminant par **e + consonne + -er: e** devient **è** si la syllabe suivante contient un **e** muet.

j'achète	**que j'achète**	**j'achèterai**	**j'achèterais**
tu achètes	etc.	**tu achèteras**	etc.
il achète		**il achètera**	
nous achetons		**nous achèterons**	
vous achetez		**vous achèterez**	
ils achètent		**ils achèteront**	

Exemple des temps primitifs d'un verbe en **-eter:**

acheter **achetant** **acheté** **j'achète** **j'achetai**

Aussi: **achever** (to finish), **lever, mener,** etc.

Comparez aussi **è** dans ces mots-ci: **première, complète, mère, sèche, père, frère, derrière,** etc.

2. Les verbes comme **céder, espérer, régler, régner** changent l'accent aigu en accent grave devant une consonne suivie d'un **e** muet, au présent seulement.

j'espère MAIS: **vous espérez, je préférerai, il céderait**

3. Certains verbes dont l'infinitif se termine par **-eler, -eter** ne suivent pas la règle générale ci-dessus. Ces verbes s'écrivent avec **ll** ou **tt** au lieu d'un **è.**

j'appelle	**je jette**
tu appelles	**tu jettes**
il appelle	**il jette**
nous appelons	**nous jetons**
vous appelez	**vous jetez**
ils appellent	**ils jettent**

j'appellerai, ais	**je jetterai, ais**
tu appelleras, ais	**tu jetteras, ais**
il appellera, ait	**il jettera, ait**
nous appellerons, ions	**nous jetterons, ions**
vous appellerez, iez	**vous jetterez, iez**
ils appelleront, aient	**ils jetteront, aient**

Exemple des temps primitifs d'un de ces verbes en **-eler:**

appeler **appelant** **appelé** **j'appelle** **j'appelai**

4. Les verbes dont l'infinitif se termine par **-cer** s'écrivent avec **ç** (**c** cédille) devant **a, o,** au lieu de **c,** pour garder la prononciation douce de l'infinitif. (**c** devant **e, i** est doux; **c** devant **a, o, u** est dur.)

je commence	**je forçai**
tu commences	**tu forças**
il commence	**il força**
nous commençons	**nous forçâmes**
vous commencez	**vous forçâtes**
ils commencent	**ils forcèrent**

Exemple des temps primitifs d'un verbe en **-cer:**

commencer **commençant** **commencé** **je commence** **je commençai**

5. Les verbes dont l'infinitif se termine par **-ger** ajoutent un **e** muet après le **g** devant **a, o** pour garder la prononciation douce de l'infinitif. (**g** devant **e,** est doux. **g** devant **a, o, u** est dur.)

je mange	**je jugeai**
tu manges	**tu jugeas**
il mange	**il jugea**
nous mangeons	**nous jugeâmes**
vous mangez	**vous jugeâtes**
ils mangent	**ils jugèrent**

Exemple des temps primitifs d'un verbe en **-ger:**

manger **mangeant** **mangé** **je mange** **je mangeai**

6. Les verbes qui se terminent par **-oyer, -uyer** changent **y** en **i** devant un **e** muet. Pour les verbes se terminant par **-ayer** et **-eyer** ce changement est facultatif.

j'emploie	**j'appuie**
tu emploies	**tu appuies**
il emploie	**il appuie**
nous employons	**nous appuyons**
vous employez	**vous appuyez**
ils emploient	**ils appuient**
j'emploierai	**ils essuieront**
nous emploierions	**vous essuieriez**

Exemple des temps primitifs d'un verbe en **-oyer:**

employer **employant** **employé** **j'emploie** **j'employai**

Vocabulaire des Explications Grammaticales

absolu, -e absolute (not immediately dependent upon the verb)
abstrait, -e abstract, generalized
accent *m.* accent
accompagner to accompany; **s'—** be accompanied
accompli, -e finished, completed
accord *m.* agreement
accorder: s'— to agree
adjectif *m.* adjective
adverbe *m.* adverb
afin de in order to
agir to act; **s'— de** be a question of
aigu, -ë acute
ailleurs elsewhere; **d'—** moreover
ajouter to add
antérieur, -e past, previous (of time)
aspiré, -e aspirate (as aspirate *h*)
attribut *m.* predicate complement
autrement otherwise
auxiliaire *adj. et n. m.* auxiliary
caractère *m.* character, nature
cas *m.* case
cédille *f.* cedilla
certitude *f.* certainty
cesser to cease
changement *m.* change
changer en change to
ci-dessous below
ci-dessus above
circonflexe circumflex
circonstance *f.* circumstance
classer to classify; **se —** be classified
cœur *m.*: **par —** by heart
commencement *m.* beginning
communément commonly, usually
complément *m.* object, complement
composé, -e compound
comprendre to include
compris: y — included
concordance *f.* sequence (of tenses)
concret, -ète literal
conditionnel, -lle *adj. et. n. m.* conditional
conjonctif, -ve conjunctive (connecting, as of a personal pronoun not separated from the verb)
conjugaison *f.* conjugation
conjuguer to conjugate; **se —** be conjugated
consacré: expression —e expression fixed by usage
conséquent: par — consequently
consonne *f.* consonant
constituer to constitute, be
construire to construct, form
correspondre to correspond, be the equivalent of
courant, -e ordinary, current
davantage more

déclaration *f.* statement
décor *m.* setting, scenery, "props"
défini, -e definite
demander to require, take
dénommer to designate
dériver to derive
descriptif, -ve descriptive
désigner to indicate, designate
dessous: ci- — below
dessus: ci- — above
déterminé, -e determinable, definite
discours *m.* speech; **parties du —** parts of speech
distinguer to distinguish
douteux, -se doubtful
doux, -ce soft (as soft *c*, soft *g*)
dur, -e hard (as hard *c*, hard *g*)
durée *f.* duration, length of time
écrit *m.* piece of writing, passage
également also, just as well
égalité *f.* equality
élision *f.* elision (suppression of vowel before another word beginning with a vowel or mute *h*)
emploi *m.* use, usage
encontre: à l'— de contrary to
entendre to understand; **s'—** be understood
entraîner to require
envers toward
équivoque equivocal, ambiguous, questionable
essentiel *m.* essential point or thing
état *m.* state; **— d'être** state of being
évidemment evidently, obviously
éviter to avoid
excepté except
exécuter to execute, carry out
exercice *m.* exercise
exiger to require, take
explétif, -ve expletive (superfluous, without adding to meaning)
expliquer to explain
exposer to present
exprimer to express; **s'—** be expressed
façon *f.* way, fashion
facultatif, -ve optional
fait *m.* fact
fastidieux, -se tiresome, disagreeable
faux, -sse false
figuré, -e figurative
figurer to figure, be present
gallicisme *m.* gallicism (French idiom)
garder to keep
genre *m.* gender; kind
gérondif *m.* gerund, verb used as a noun
grave grave (grave accent)
guillemets: ouvrir (fermer) les — open (close) quotation marks
heure *f.* time (clock time)
hiatus hiatus (as produced by two successive vowel sounds)
idée *f.* idea
idiotisme *m.* idiom
imparfait *m. et adj.* imperfect
indéterminé, -e undeterminable, indefinite
infinitif *m.* infinitive
insistance *f.* emphasis
interroger to interrogate, ask a question
invariable invariable, unchanging in form
jugement *m.* judgment, evaluation
langage *m.* language
liaison *f.* linking (of sound)
lieu: au — de instead of
locution *f.* phrase, expression

logique *f.* logic
lointain, -e distant
lumière *f.* light; **à la — de** in the light of
maintenir maintain
majuscule *f. et adj.* capital letter
matières: table des — table of contents
même same, very
métier *m.* occupation, trade
mettre to place; **se —** be placed
minuscule *f. et adj.* small letter
mode *m.* mood
muet, -tte mute, silent
narratif, -ve narrative
neutre intransitive, neuter
nom *m.* noun, name
nombre *m.* number
nuance *f.* nuance, shade (of meaning, etc.)
objet *m.* object, thing
obligatoire required, obligatory
ordinaire: d'— ordinarily
ordre *m.* order
orthographe *f.* spelling
orthographique orthographical, spelling
ouvrir to open, begin
pareil, -lle similar
parenthèse *f.* parenthesis; **ouvrir (fermer) une —** open (close) parentheses
participe *m.* participle
participial, -e participial
particulier, -ère particular; characteristic of, peculiar to
partie *f.* part (*voir* **discours**)
passé *m. et adj.* past
phrase *f.* sentence
placer to place; **se —** be placed
plupart *f.* **(de)** most (of)
plus: en — in addition to
plusieurs several
plus-que-parfait *m.* pluperfect, past perfect
plutôt (que) rather (than)
point *m.* period
point d'exclamation exclamation mark
point d'interrogation question mark
point virgule semicolon
pourtant however
précéder to precede
préciser to determine, point out, make specific
prépositif, -ve prepositional
présenter to present
primitif, -ve principal (as principal parts of a verb)
principal, -e main, principal
procédé *m.* procedure
produire to produce
projeter to project, propose, plan
pronom *m.* pronoun
pronominal, -e pronominal
proposition *f.* clause
propre proper
qualificatif, -ve qualifying, modifying
qualifier to modify
quelconque any, any whatever
racine *f.* stem of a word
radical *m.* radical, stem
rapporter: se — to have reference to, refer to
réciproque reciprocal
récit *m.* narrative
réfléchi, -e reflexive
régime *m.* object, complement
règle *f.* rule
remplacer to replace
rendre: se — compte de to realize
répéter to repeat
représenter to represent, stand for

restriction *f.* reservation
résultat *m.* result
réunir to group
sauf except
selon according to, in accordance with
semblable similar
sens *m.* meaning
servir de to serve as
seul, -e single, only
signifier to mean
sorte *f.* sort, kind
souligner to underline, emphasize
soumettre to submit, subject
sous-entendu, -e understood
souvent often
subjectif, -ve subjective, personal
subordonné, -e subordinate
substantif *m.* noun
suite *f.* continuation
suivant, -e following
sujet *m. et adj.* subject
supprimer to omit
susceptible de capable of
syllabe *f.* syllable
syntaxe *f.* syntax, sentence structure
syntaxique syntactical, grammatical
tableau *m.* chart, outline
tant: en — que as, considered as
tel, -lle such
temps *m.* tense (of a verb)
tendance *f.* tendency
terminaison *f.* ending
terminer: se — to end
titre *m.* title
traduction *f.* translation
traduire to translate; **se —** be translated
trait d'union *m.* hyphen
tréma *m.* dieresis (indicates separate vowel pronunciation)
uniquement entirely, exclusively
usage *m.* usage, custom
usité, -e usual, ordinary
variable variable, changing in form
virgule *f.* comma
voix *f.* voice
voyelle *f.* vowel